Harry Voß

Woran merke ich, dass Gott mich liebt?

Kinderfragen über Gott und die Welt

Eine Koproduktion des Bibellesebund Verlag, Marienheide, mit
SCM Verlag in der SCM Verlagsgruppe GmbH, Holzgerlingen

ISBN 978-3-95568-360-3 (Bibellesebund)
Bestell.-Nr. 71160
ISBN 978-3-417-28901-5 (SCM Verlag)
Bestell-Nr. 228.901

Soweit nicht anders angegeben, sind die Bibelverse
folgenden Ausgaben entnommen:
Gute Nachricht Bibel, durchgesehene Neuausgabe,
© 2018 Deutsche Bibelgesellschaft, Stuttgart.

Bibeltext der Neuen Genfer Übersetzung, © 2011 Genfer Bibelgesellschaft,
wiedergegeben mit freundlicher Genehmigung. Alle Rechte vorbehalten:
Seite 17 (Johannes 3,16), 53 (Johannes 3,16), 123 (Johannes 3,16).

Freie Übertragung des Autors: Seite 12, 17 (2. Korinther 5,10), 25, 27, 40
(Epheser 1,13-14), 89, 104, 107, 112, 146 (Markus 12,30).

Lutherbibel, revidiert 2017, © 2016 Deutsche Bibelgesellschaft, Stuttgart:
Seite 88 (Matthäus 3,2), 146 (1. Johannes 5,3).

Hoffnung für alle ® Copyright © 1983, 1996, 2002, 2015 by Biblica, Inc.®. Verwendet
mit freundlicher Genehmigung des Herausgebers Fontis – Brunnen Basel: Seite 70.

Covergestaltung: Sybille Koschera, Stuttgart
Illustrationen: Jonas Heidenreich, Berlin
Satz: Katrin Schäder, Velbert
Druck und Bindung: Finidr s.r.o.
Gedruckt in Tschechien

Liebe Leserin, lieber Leser,

wenn *ich als Kind* knifflige Fragen gestellt habe, die man nicht mit einem Satz beantworten konnte, dann sagte man mir manchmal: „Das ist halt so." Solche Antworten habe ich gehasst. Denn damit fühlte ich mich abgefertigt und zur Seite geschoben. Ich habe mir geschworen: Wenn ich groß bin, mach ich das mal anders.

Hin und wieder haben sich Erwachsene wirklich *Zeit genommen* und haben mir genauer erklärt, wie sie die eine oder andere Sache verstehen. Dabei mussten sie manchmal zugeben, dass sie selbst auch nicht alles wussten. Das war für mich als Kind aber kein Problem. Im Gegenteil. Ich habe am Leben dieser Leute gesehen: Sie konnten Gott von Herzen vertrauen, auch wenn sie manches über Gott auch nicht kapiert haben. Diese Leute waren für mich echte Vorbilder.

Jetzt bin ich einer der Erwachsenen. Und immer noch stellen Kinder Fragen. *Dieselben, die ich damals hatte.* Darum ist es für mich eine Ehre, dass ihr Kinder mit diesen Fragen auf mich zukommt und von mir eine Antwort erhofft. Und es ist für mich selbstverständlich, dass ich mir dafür Zeit nehme und so antworte, wie ich selbst es als Kind gut gefunden hätte. Wenn ich keine Antwort habe, dann sag ich das auch. Und trotzdem kann ich versuchen, auf Spurensuche zu gehen.

Weil ich bereits als zehnjähriger Junge angefangen habe, selbst in der Bibel zu lesen und darin nach Aussagen über Gott für mein Leben zu suchen, ist *die Bibel* auch heute noch für mich eine wichtige Grundlage. Fragen nach Gott, Jesus, dem Heiligen Geist, dem Leben nach dem Tod und ähnliche kann ich nur mithilfe der Bibel beantworten.

Zu manchen Themen gibt es keine eindeutige Bibelstelle. Manchmal kommen verschiedene Bibelleser und Bibelstudierer sogar zu unterschiedlichen Antworten auf dieselbe Frage. In solchen Fällen habe ich zumindest die Bibelstellen, die es dazu gibt, herausgesucht und nebeneinandergestellt. Damit kann ich immerhin zeigen: Hier lässt sich keine eindeutige Antwort aus der Bibel ableiten. Aber meine eigene Meinung kann ich trotzdem sagen.

Viele Leute zweifeln die Bibel als Gottes Botschaft an uns Menschen an. Sie glauben, das, was darin steht, gelte heute sowieso nicht mehr. Man könne nicht sagen: „Was in der Bibel steht, ist wahr, und andere Religionen haben unrecht." Ich habe nichts dagegen, wenn andere so denken. Ich persönlich habe großen Respekt auch vor anderen Religionen und Glaubensrichtungen. Trotzdem wäre ich aus meiner Sicht kein Christ und kein Nachfolger von Jesus, wenn für mich die Bibel und die Aussagen von Jesus nicht der absolute Maßstab wären. Ich würde niemals behaupten: „Ich habe recht!" Aber ich kann immer sagen: „Ich nehme die Bibel ernst. Und in der Bibel lese ich dies und das. Und darum habe ich auf diese und jene Frage eine bestimmte Antwort gefunden." Darüber kann ich selbstverständlich auch mit anderen ins Gespräch kommen. Und andere können mir sagen, welche Antwort sie gefunden haben. *Im Gespräch können wir miteinander und voneinander lernen.* Trotzdem bleibe ich dabei, dass ich persönlich die Bibel als erste Anlaufstelle für meine Fragen nehme.

Wundere dich deshalb bitte nicht, wenn du in diesem Buch viele Bibelstellen findest. Wenn du willst, kannst du sie in deiner eigenen Bibel nachlesen. Meistens habe ich die Bibelverse nach der „Guten Nachricht Bibel" zitiert. Manchmal habe ich aber auch selbst so formuliert, wie ich sie für euch Leser für verständlich halte.

Wenn du in diesem Buch Antworten auf Fragen findest, die dich beschäftigen, dann freut es mich sehr. Wenn du aber *noch mehr Fragen* hast, die hier nicht gestellt oder nicht ausreichend beantwortet wurden, dann trau dich ruhig, mir zu schreiben. Ich begebe mich gerne mit dir zusammen auf Antwortsuche. Unter h.voss@bibellesebund.de kannst du mir schreiben.

In jedem Fall wünsche ich dir viel Spaß und gute Entdeckungen beim Eintauchen in diesen See voller Fragen und Antworten.

Herzliche Grüße dein Harry

Wo findest du was?

Ben, 12

Es wird gesagt, dass Gott das Universum und die Welt erschaffen hat. Meine Frage ist jetzt: Wo soll so ein Gott herkommen? Wie ist er entstanden?

Lieber Ben, ich finde es gut, dass du dir die Frage nach Gott stellst. Denn um die kommt keiner herum. Vor allem finde ich es gut, dass du auch Christen danach fragst. Denn viele versuchen, völlig allein zu einer Antwort zu kommen und Gott überhaupt nicht in Betracht zu ziehen. Das machst du nicht so. Darum haben wir schon mal eine gute Grundlage, um darüber ins Gespräch zu kommen.

Wer Gott gemacht hat, wird von uns Christen so beantwortet: Niemand hat Gott erschaffen, denn Gott war schon immer da. Gott ist ohne Anfang und Ende. Er ist ewig.

Es ist ja bei allen Theorien so: Irgendwas muss immer zuerst da sein. Wenn es jemanden gäbe, der Gott erschaffen hätte (nennen wir ihn Gott-Gott), dann wäre die nächste Frage: Wer hat diesen Gott-Gott erschaffen? Das geht immer so weiter. Irgendeine Größe muss aber zuerst da gewesen sein. Ohne Anfang. Für die, die die Bibel ernst nehmen, ist das Gott.

Woher Gott kommt, kann ich dir darum nicht erklären. Weil wir nicht über Gott stehen, können wir nur das über Gott wissen, was uns Gott selbst über sich mitgeteilt hat. Für uns Christen ist die Bibel das Buch, in dem wir alles finden, was wir über Gott wissen sollen. Zum Beispiel: Gott war schon vor der Welt da (1. Mose 1,2). Gott hat die Welt erschaffen (1. Mose 1). Gott hat den Menschen als Gegenüber gemacht (1. Mose 1,27). Gott

liebt die Menschen (z.B. Johannes 3,16). Gott hat einen Sohn: Jesus (z.B. Matthäus 3,17). Und einiges mehr.

Manches über sich gibt Gott aber nicht preis: Wie alt ist Gott? Wer hat Gott erschaffen? Wann werden der neue Himmel, die neue Erde da sein? Wann wird diese Welt, in der wir jetzt leben, zu Ende sein? Um auf diese Fragen eine Antwort zu finden, grübeln und schreiben und denken viele Menschen unentwegt nach.

Viel spannender finde ich die Frage: Wenn es einen Gott gibt, der bewusst Menschen erschafft, die lieben, Verantwortung übernehmen, fühlen, planen, denken und sich freuen können – warum macht er das? Was hat er mit ihnen vor? Das tut er doch sicher nicht nur aus Spaß, aus Langeweile oder gar aus Zufall. Und gleich kommt die nächste Frage hinterher: Gibt es eine Möglichkeit, diese Fragen zu beantworten?

Meine Antwort lautet: Ja. Durch die Bibel. Dort lesen wir, dass Gott uns liebt. Dass die Liebe, das größte Gefühl der Welt, auch das größte Gefühl von Gott ist. Und sollten wir, die wir aus Liebe erschaffen sind, uns diesem liebenden Gott nicht zuwenden und Kontakt zu ihm aufnehmen und mit ihm gemeinsam durchs Leben gehen?

Lieber Ben, ich wünsche dir viel Erfolg bei deiner Suche nach Gott. Vielleicht liest du bei dieser Gelegenheit einfach mal selbst die Bibel. Am besten fängst du beim Neuen Testament an. Denn da beschreibt Jesus selbst, wie Gott liebt.

Alles Gute und ganz herzliche Grüße
dein
Harry

Mia, 12

Warum glauben alle, dass es Gott gibt?
Wir haben ihn doch noch nie gesehen!

Liebe Mia,

das stimmt. Niemand hat
Gott bisher gesehen.
Trotzdem haben Men-
schen zu allen Zeiten und
in allen Ländern irgendwie
gespürt, dass sie nicht aus
purem Zufall auf dieser Welt
sind. Es muss eine höhere
Macht geben, die darüber
wacht, welches Leben entsteht,
welches Leben zu Ende geht, welcher
Mensch wie viel Leid oder Glück erlebt. So etwas
Kompliziertes wie diese Welt mit ihrem Sonnensystem, dem sinnvollen Wechsel von Tag und
Nacht, von Sommer und Winter, von Ernten und Aussäen kann nie im
Leben allein entstanden sein; der Mensch mit all seinen Gefühlen, mit
seinem Wissen, seinem Können, mit seiner haushohen Überlegenheit
über alle Tiere und alles andere kann sich unmöglich zufällig aus einem Einzeller entwickelt haben.

Also, irgendjemand muss dahinterstecken.

Dieses Gespür tragen alle Menschen dieser Erde in sich. Auch die
entferntesten Busch-Einwohner. Selbst wenn heute viele behaupten,
sie kämen ohne ein „höheres Wesen" aus: Eine Ahnung davon steckt
trotzdem in ihnen.

    Es ist allerdings völlig unterschiedlich, wie sich die Menschen in all
den Jahren auf den vielen Erdteilen nun mit dieser Frage beschäftigen und welche Antwort sie darauf geben.

Viele Naturreligionen glauben: Die Erde selbst hat eine göttliche Macht. Andere halten die Sonne für die lebensschaffende Kraft. Wieder andere bauen sich Figuren aus Holz, Stein oder Gold und sagen: „Das ist unsere Gottheit. Dieses Wesen schenkt uns Leben, Gesundheit und Wohlstand." In einigen Teilen der Welt glaubt man an böse und gute Geister, die miteinander kämpfen und dadurch über die Menschen bestimmen. Oder man hält Bäume oder Berge für Götter. Die Anzahl an Vorschlägen nimmt gar kein Ende.

So, und nun stell dir folgende Situation vor:

Wir sind in der Zeit ungefähr 2000 Jahre vor Christus. Es gibt bisher nur ganz wenige befestigte Städte. In einer von ihnen – im heutigen Irak – hat ein Mensch eine Begegnung mit einem Gott, den man nicht sehen kann. Er nimmt wahr, wie jemand mit ihm spricht und sich ihm vorstellt: „Ich will aus dir ein großes Volk machen. Zieh aus deiner Heimat aus in ein Land, das ich dir zeigen werde." Dieser Mann hat keine Ahnung, was das für ein Gott ist. Er ist weder aus Holz oder Stein noch ist er die Sonne oder der Mond. Er ist und bleibt unsichtbar. „Niemand kann mich sehen", sagt dieser Gott. „Wer mich sieht, muss sterben, so heilig bin ich."

Trotzdem vertraut der Mann diesem ungewöhnlichen Gott.

Er zieht aus seiner Heimat aus und kommt in das Gebiet des heutigen Israel. Hier entsteht innerhalb der nächsten 500 Jahre ein so großes Volk, dass die anderen Völker ringsherum in Angst und Schrecken verfallen. Die Nachbarvölker, die sich ja immer noch mit eigenen Göttern beschäftigen, die Sonne, Mond oder die eigenen Könige anbeten, haben großen Respekt vor diesem ungewöhnlichen Volk, das seine Stärke und Autorität von einem Gott bekommt, den man nicht sehen kann.

Der Mann, mit dem alles angefangen hat, war Abraham.

Das Volk, das daraus entstanden ist, ist das Volk Israel. Und dieser unsichtbare Gott ist der Gott der Bibel, der sich seinen Leuten mehr und mehr vorgestellt hat. Über ihn wird in der Bibel erzählt: Er ist es, der die Welt geschaffen hat. Alles, was die anderen Völker als Götter anbeten, Sonne, Mond und Sterne, hat er selbst gemacht. Er liebt die Menschen ungemein. Seine Gesetze, seine Vorhersagen und was er sonst noch mitgeteilt hat, sind in der Bibel festgehalten worden.

Bis heute hat niemand Gott gesehen.

Aber immer wieder bezeugen Menschen, die mit ihm reden, über ihn lesen und sich ernsthaft mit ihm beschäftigen, dass sie Erfahrungen mit diesem Gott machen, die nicht bloß Einbildung sind, sondern aus denen sie erkennen: Gott ist wirklich da, auch wenn man ihn nicht sieht.

Auch ich habe Gott noch nie gesehen. Aber ich nehme ihn ernst und möchte mit ihm leben. Ich habe durch die Bibel erkannt, dass dieser unsichtbare Gott jeden Menschen geschaffen hat, weil er ihn liebt, und dass der Sinn unseres Lebens darin besteht, in Partner-schaft mit diesem Gott zu leben.

Leider glauben längst nicht „alle" Menschen an diesen Gott, so wie du es vermutet hast. Aber die, die es tun, tun es mit großer Freude und in tiefer Verbundenheit mit diesem Gott, den sie als lebendiges Gegenüber erfahren haben.

Herzliche Grüße

dein

Harry

Jakob, 8

Wie groß ist eigentlich Gott?

Lieber Jakob,

tja, wie groß ist Gott? In Metern oder Zentimetern kannst du Gott nicht ausmessen, das hast du dir sicher schon gedacht. Gott kann man ja nicht anfassen, darum ist er mit unseren Größeneinheiten nicht messbar. Gott ist zumindest so groß, dass er die Erde und das ganze Weltall geschaffen hat. Also ist er noch größer als alles, was wir auf der Welt sehen. Gleichzeitig ist Gott klein genug, dass er mit in dein Zimmer passt, ganz nah bei dir, wenn du dich traurig unter der Bettdecke verkrochen hast.

Wenn die Menschen in der Bibel ausdrücken, wie groß Gott ist, dann tun sie das nicht mit einer Größentabelle. Sie benutzen das Wort „groß" im Sinne von „mächtig" oder „großartig". Wie zum Beispiel in diesen Bibelstellen: „Gott ist so groß – das ganze Heer der Sterne erzählt von Gottes Schöpfermacht!" (Psalm 19,2). „Gott ist so groß, wir können es gar nicht begreifen. Auch wie alt Gott ist, können wir nicht ergründen" (Hiob 36,26). „Gott hat die ganze Welt gemacht, alle furchtbaren Drachen, die wir uns nur vorstellen könnten, hat er besiegt! Mit seinem Atem hat er mal eben den Himmel blank gepustet. Und

das alles ist nur der Saum von seinen Taten, ein schwaches Echo, das wir davon hören. Wie groß und mächtig muss Gott wirklich sein!" (frei nach Hiob 26,12-14). „HERR, mein Gott, wie groß du bist! In Hoheit und Pracht bist du gekleidet, in Licht gehüllt wie in einen Mantel. Den Himmel spannst du aus wie ein Zeltdach. Droben über dem Himmelsozean hast du deine Wohnung gebaut. Du nimmst die Wolken als Wagen oder fliegst auf den Flügeln des Windes. Stürme sind deine Boten und das Feuer ist dein Gehilfe" (Psalm 104,1-4).

Das alles sind nur Bilder. Vergleiche, die uns vor Augen führen sollen, wie unendlich groß und mächtig Gott ist. Die ganze Bibel ist voll von solchen Aussagen über Gott, die zeigen, wie sehr die Menschen über ihn staunen.

Eigentlich könnte man es mit der Angst zu tun bekommen, wenn man sich so einen riesigen, mächtigen Gott vorstellt, der mit einem einzigen Wort alles gebaut hat und genauso wieder zerstören könnte. Für mich persönlich ist es aber etwas ganz Besonderes, dass dieser große Gott mich kleinen Menschen beschützen will. Dass er mich wertvoll findet, dass er mir zur Seite steht. Dass er möchte, dass ich nach diesem Leben ganz nah bei ihm in seiner Welt lebe. Mit Gott an meiner Seite habe ich den stärksten und größten Beschützer bei mir. Und das finde ich klasse.

Ganz herzliche Grüße

dein

Harry

Emilia, 11

**Woran merke ich,
dass Gott mich liebt?**

Liebe Emilia, woran merkst du, dass andere Menschen dich lieb haben, zum Beispiel deine Eltern? Vielleicht nehmen sie dich in den Arm, vielleicht sagen sie dir: „Ich hab dich lieb", vielleicht merkst du es auch daran, dass sie für dich Zeit haben, dass sie dir helfen, wenn du in Schwierigkeiten bist, oder dass sie dich trösten, dir zuhören oder einfach für dich sorgen.

Gott kann dich nicht so in den Arm nehmen, wie es ein Mensch tut. Aber er lässt dir durch die Bibel ausrichten, dass er dich sehr lieb hat: Gottes Liebe zu uns hat sich darin gezeigt, „dass er seinen einzigen Sohn in die Welt sandte. Durch ihn wollte er uns das neue Leben schenken. Das Einzigartige an dieser Liebe ist: Nicht wir haben Gott geliebt, sondern er hat uns geliebt" (1. Johannes 4,9-10). „Wir lieben, weil Gott uns zuerst geliebt hat" (1. Johannes 4,19).

Gott hat für dich Zeit, er hört dir zu, er steht dir zur Seite und möchte dich trösten, wenn du traurig bist. „Der HERR hat mein Weinen gehört", steht in Psalm 6,9. „Auch wenn ich viel durchstehen muss, gibt er mir immer wieder Mut. Darum kann ich auch anderen Mut machen, die Ähnliches durchstehen müssen. Ich kann sie trösten und ermutigen, so wie Gott mich selbst getröstet und ermutigt hat" (2. Korinther 1,4). „Und muss ich auch durchs finstere Tal – ich fürchte kein Unheil! Du, HERR, bist ja bei mir; du schützt mich und du führst mich, das macht mir Mut" (Psalm 23,4). „Bist du in Not, so rufe mich zu Hilfe! Ich werde dir helfen und du wirst mich preisen" (Psalm 50,15).

Das alles sind Sätze aus der Bibel, in denen du nachlesen kannst, was Gott für dich tut und wie sehr er dich liebt. Aber *nachlesen* heißt nicht, dass man es *merkt*. Nur wenn man etwas weiß oder gelernt hat, fühlt man es nicht automatisch. Ich weiß zum Beispiel, dass ich von Luft umgeben bin. Aber ich sehe sie nicht und spüre sie auch nicht. Ich habe gelesen, dass um mich herum alles voller Funkwellen ist. Die spüre ich auch nicht. Aber wenn ich ein Radio einschalte, höre ich, wie die Wellen von diesem Gerät empfangen und als Töne ausgestrahlt werden.

So ähnlich empfinde ich es auch bei Gott: Ich kann ihn nicht sehen. Aber ich kann mir vornehmen, mich innerlich auf ihn einzulassen. Mein Herz sozusagen auf „Empfang" zu stellen. Nach Spuren zu suchen, in denen ich erkenne, was Gott für mich tut. Dass er mich so gut versorgt zum Beispiel. Ich habe ein Zuhause, ich habe eine Familie und Freunde. Dafür bin ich dankbar. Ich sehe in der Natur, wie wunderschön alles gemacht ist: die Tiere, die Blumen, der Wald, die Berge, das Meer – das alles sind für mich Zeichen dafür, wie sehr Gott mich liebt. Manchmal sind plötzliche Begegnungen mit anderen Menschen wie kleine Liebeserklärungen von Gott: wenn mir jemand etwas Nettes sagt oder wenn mich jemand anlächelt.

Bei solchen Kleinigkeiten zu *merken*, dass Gott einen liebt, das kann man nicht in Büchern nachlesen oder in der Schule lernen. So etwas passiert innen drin. Im Herzen. Dazu braucht es Vertrauen. Und man muss sich selbst vornehmen, offen dafür zu sein.

Liebe Emilia, das alles sind nur einzelne kleine Zeichen. Und keine Anleitung dafür, was du tun musst, um zu merken, dass Gott dich liebt. Aber vielleicht nimmst du all diese Hinweise zusammen und bekommst dadurch doch ein Gespür dafür, dass Gott dich liebt. Und zwar nicht nur so ganz allgemein, sondern gerade dich ganz persönlich. Wenn du willst, kannst du Gott dafür danken und ihm sagen, dass du ihn auch lieb haben möchtest.

Ich wünsche dir jedenfalls, dass du jeden Tag solche Zeichen dafür entdeckst, wie lieb dich Gott hat.

Dein Harry

Julian, 10

Ist Gott ein Mädchen oder ein Junge?

Lieber Julian,

Gott ist kein Mensch, deshalb ist er weder Junge noch Mädchen. Er hat den Menschen als sein Abbild geschaffen. Also beide, der Mann und die Frau, sind Gott ähnlich. Von Anfang an wird über Gott aber immer in der männlichen Form gesprochen. Von Gott heißt es in der Bibel immer: „Er sprach", und niemals: „Sie sprach." Als Jesus, der Sohn von Gott, auf der Erde war, hat er Gott immer wieder als „Vater" bezeichnet. Deshalb wird Gott traditionell eher als männlich eingestuft, obwohl Gott, wie gesagt, kein Mensch ist und darum weder Mann noch Frau. In der Bibel werden Gott übrigens nicht nur väterliche Eigenschaften zugeschrieben, sondern auch mütterliche. In Psalm 103,13 steht: „Wie ein Vater mit seinen Kindern Erbarmen hat, so hat der HERR Erbarmen mit denen, die ihn ehren." Und in Jesaja 66,13 steht: „Ich werde euch trösten, wie eine Mutter tröstet." Beides steckt also in Gott.

Viele Grüße dein
Harry

Charlotte, 10

Hat Gott auch böse Leute lieb?

Liebe Charlotte,

in der Bibel finde ich folgende Antworten auf deine Frage: „Gott hat der Welt seine Liebe dadurch gezeigt, dass er seinen einzigen Sohn für sie hergab, damit jeder, der an ihn glaubt, das ewige Leben hat und nicht verloren geht" (Johannes 3,16). „Das Einzigartige an dieser Liebe ist: Nicht wir haben Gott geliebt, sondern er hat uns geliebt" (1. Johannes 4,10). „Wir lieben, weil Gott uns zuerst geliebt hat" (1. Johannes 4,19).

An diesen (und anderen) Stellen sehe ich: *Gott liebt alle Menschen.* Er hat ja jeden Menschen gemacht, weil er ihn liebt. Gott hat jeden von uns zuerst geliebt. Nicht weil wir so toll sind, sondern weil Gott voller Liebe steckt. Wenn ein Mensch böse Dinge tut, findet Gott das Böse noch lange nicht gut. Aber den Menschen, der dahinter steht, liebt er trotzdem. Es ist wie in einer Familie: Normalerweise lieben Eltern ihre Kinder über alles. Auch wenn sie manchmal schimpfen. Wenn Kinder etwas Verbotenes tun, bestrafen die Eltern die Kinder oder weisen sie zurecht. Die Eltern finden schlechtes Verhalten nicht gut. Trotzdem würden sie nie aufhören, die Kinder zu lieben.

Und so ist es mit Gott. Er liebt alle Menschen. Auch die, die Böses tun. Das heißt allerdings nicht, dass jeder machen kann, was er will, und mit dem, was er tut, einfach so davonkommt. Gott hat ja selbst angekündigt, Unrecht zu bestrafen. Darum müssen auch die Menschen, die in dieser Welt Gemeines tun, damit rechnen, dass Gott ihnen für das, was sie getan haben, eine gerechte Strafe gibt. Auch wenn er sie liebt. Wie in der Familie eben. Auch das steht in der Bibel (in 2. Korinther 5,10): „Jeder muss vor Jesus stehen, wenn er Gericht hält. Dann wird jeder Mensch bekommen, was er verdient. Je nachdem, ob er Gutes oder Böses getan hat."

Dein
Harry

Lilli, 11

Unsere Religionslehrerin hat uns als Hausaufgabe aufgegeben, dass wir ein Bild von Gott malen sollen, so wie wir ihn uns vorstellen. Aber es gibt doch ein Gebot: „Du sollst dir kein Bild von Gott machen." Verstoße ich dann nicht dagegen?

Liebe Lilli,

das Gebot, kein Bild von Gott machen zu dürfen, gibt es tatsächlich. Es ist eins der Zehn Gebote und steht in 2. Mose 20,4.

Für das Volk Israel, an das diese Gebote ja als Erstes gerichtet waren, war dies ganz klar die Anweisung, sich keine Götzenfigur zu bauen und anzubeten. Gott ist ganz anders als die Götter, die die Nachbarvölker der Israeliten verehrten. Die nämlich beteten lauter Figuren – Stiere, Männer, Frauen usw. – als Götter an. So etwas hat Gott den Israeliten verboten. Gott hat seinem Volk deutlich gemacht: *Er ist ein Gott, den man nicht sehen kann.* Ihn kann man nicht in eine

Form pressen. Von ihm kann man auch nicht sagen: „So und nicht anders ist Gott."

„Ich bin, der ich bin – das ist mein Name." So hat Gott sich vorgestellt (zum Beispiel in 2. Mose 3,14). Aber er ist nicht einfach so mit einem Bild, einer Figur oder einem Tier auszudrücken.

Heute gibt es unterschiedliche Meinungen. Michelangelo zum Beispiel hat vor etwa 500 Jahren in einer berühmten Kapelle in Rom ein beeindruckendes Bild von der Schöpfung gemalt: Gott liegt im Himmel, streckt seinen Finger aus und will damit gerade Adam anrühren. Michelangelo hat an Gott geglaubt und hat seinem Glauben an Gott dadurch ein Bild gegeben. Hat er also gegen Gottes Gebot verstoßen?

Andere wagen es noch nicht mal, ein Bild von Jesus zu malen. In manchen Kinderbibeln ist Jesus nur von hinten zu sehen, weil die Künstler sagen: „Ich darf kein Bild von Gott machen, und Jesus ist Gott. Also zeichne ich auch kein Bild von Jesus."

Ich persönlich hätte kein Problem damit, eine Zeichnung von Gott anzufertigen, wenn ich dazu aufgefordert würde. Aber ich würde mich gleichzeitig dabei fragen: Was soll das? Warum soll ich ein Bild von Gott malen? Das würde ich auch gerne deine Religionslehrerin fragen: *Was soll dabei rauskommen?* Wenn die Hälfte der Klasse einen glatzköpfigen alten Mann auf einer Wolke malt, der ein weißes Nachthemd trägt, und das aber nicht weiter besprochen wird, dann setzt sich in den Köpfen der Schüler dieses Bild von dem schrulligen alten Gott nur noch mehr fest. Und das fände ich schade.

Dir würde ich sagen: Wenn du ein komisches Gefühl dabei hast, eine Zeichnung von Gott anzufertigen, dann hör auf deine innere Stimme. Du siehst ja, dass es da unterschiedliche Meinungen gibt. Und keiner sollte über den anderen sagen: „Ich hab recht und du nicht." Vielleicht kannst du das deiner Lehrerin so oder ähnlich erklären, damit sie versteht, warum es dir schwerfällt. Wenn deine Lehrerin fair ist, müsste sie das eigentlich akzeptieren.

Dein Harry

Luisa, 12

Wie ist es möglich, dass Gott alles plant und weiß, aber es trotzdem Geschichten in der Bibel gibt, in denen Menschen Gott umstimmen konnten? Und wie kann es sein, dass wir trotzdem selbst Entscheidungen treffen können?

Liebe Luisa!

Über deine Frage grübeln und streiten die Gelehrten schon, seit es die Bibel gibt. Ich würde es so erklären: Ja, Gott weiß alles. Er weiß schon, was du morgen zu Mittag isst, er weiß auch schon, ob du Kinder bekommen wirst, und er wusste auch schon vor tausend Jahren, was du jetzt denkst, während du diese Antwort liest (in Psalm 139,1–4 kannst du das sehr deutlich nachlesen). Das heißt aber nicht, dass er deshalb jede Entscheidung von dir vorherbestimmt hat. Wenn du dich heute dafür entscheidest, etwas Gutes zu tun oder etwas Böses, dann ist das deine ganz persönliche Entscheidung. Gott hat das zwar schon gewusst, aber er hat dich nicht dazu gezwungen, das eine oder das andere zu tun. Andererseits: Weil Gott alles schon im Voraus weiß, kann er hin und wieder – wenn er es will – tatsächlich beeinflussen, was wir tun.

Beispiel: Deine Mitschülerin hat Probleme mit ihren Geschwistern und

weiß keinen Rat. Weil Gott ihr helfen möchte, kann er dafür sorgen, dass du gerade am selben Morgen in einer Zeitschrift oder in der Bibel etwas darüber liest, wie sich Geschwister besser verstehen können. Wenn dich dann die Mitschülerin in der Schule auf ihr Problem anspricht, hat Gott schon vorher dafür gesorgt, dass du auf dieses Gespräch vorbereitet bist. So kann er sein Wissen gut einsetzen. Aber wie gesagt: Das tut er nicht immer und wir können auch nicht erwarten, dass Gott für jedes Problem eine schnelle Lösung vorbereitet hat.

Ich wollte damit nur deutlich machen: Dass Gott alles weiß, heißt nicht, dass wir keine Möglichkeit haben, selbst zu bestimmen, was wir tun. Wir sind von Gott ganz deutlich dazu aufgefordert, uns immer für das Gute zu entscheiden (siehe zum Beispiel Micha 6,8). Und wir können uns nie herausreden, indem wir sagen: „Ich konnte ja nicht anders, Gott hat mich beeinflusst."

Wenn in der Bibel steht, dass Gott nach einem Gebet von Mose ein angekündigtes Unglück nicht schickt, dann zeigt mir das, wie sehr Gott möchte, dass wir uns für diese Welt stark machen. Und es zeigt, dass er sich für uns und unsere Bitten interessiert. Natürlich hätte Gott auch sagen können: „Ich weiß ja eh, dass Mose mich gleich bittet, das Unglück nicht zu schicken. Also sage ich gar nicht erst, dass ich ein Unglück schicken werde, und verhindere es von vornherein." Aber dann hätte Mose nicht gesehen, wie wütend Gott vorher war und er hätte nicht gesehen, dass Gott seine Pläne aufgrund eines Gebets ändert.

Tun wir dasselbe nicht unentwegt, wenn wir beten? Wir bitten doch auch für unsere Familien, für unsere Freunde und so weiter. Wir bitten Gott, eine Krankheit zu heilen oder irgendeine andere schlechte Situation in eine gute umzukehren. Das tun wir, weil wir wissen, dass Gott mit sich reden lässt und weil er uns dazu aufgefordert hat, ihm unsere Bitten zu nennen. Das heißt nicht, dass Gott all unsere Gebete so umsetzt, wie wir es ihm sagen. Die letzte Entscheidung trifft er natürlich selbst. Aber wir liegen ihm mit unseren Anliegen in den Ohren, weil wir wissen, dass er sich dafür interessiert. Und das, obwohl er alles weiß. Das zu wissen, ermutigt mich. Darum finde ich es auch nicht schlimm, dass Gott schon weiß, an welchen Stellen ich was Dummes tue. Er weiß ja immerhin auch, dass es mir anschließend wieder leidtut.

Herzliche Grüße dein
Harry

Ella, 12

Wieso hat Gott den Menschen geschaffen, wenn er doch schon wusste, dass der Mensch die Umwelt zerstört, die Tiere schlecht behandelt, den Regenwald abholzt und so weiter? Hätte Gott den Menschen gar nicht gemacht, dann wären die Tiere besser geschützt. Oder Gott hätte die Menschen so schaffen müssen, dass sie besser mit den Tieren umgehen!

So, wie es jetzt ist, finde ich das dumm von Gott.

Liebe Ella, um deine Frage zu beantworten, fange ich am besten erst mal ganz vorne an:

Warum hat Gott den Menschen überhaupt gemacht?

Antwort: Weil er ein Gegenüber wollte. Einen, der ihm ähnlich ist, mit dem er zusammen sein kann, den er lieben kann. In 1. Mose 1 und 2 wird davon erzählt.

Und dann hat Gott zu dem Menschen gesagt: „Du bist jetzt zuständig für die Erde. Du bist der Chef, du bist der König sozusagen. Pass auf sie auf. Versorge sie gut" (so steht es sinngemäß in 1. Mose 1,28 und 1. Mose 2,15). Findest du diese Entscheidung von Gott dumm?

Ich nicht. Ich finde, Gott beweist großes Vertrauen in den Menschen. *Der Mensch hat die Fähigkeit, Gutes zu tun.* Und Gott traut ihm zu, dass er das Gute, das in ihm steckt, auch umsetzt.

Doch was machen die meisten Menschen? Sie passen nicht auf die Erde auf. Sie schützen die Erde nicht, sondern zerstören sie. Das finde ich genauso dumm wie du. Aber wer ist dabei wirklich dumm? Gott, der den Menschen so gemacht hat, dass er Gutes tun kann? Oder der Mensch, der das Gute weiß und kennt, der es aber trotzdem nicht tut? Ich finde, wer wirklich dumm ist, das sind wir Menschen.

Wir wissen, dass sich *Liebe* schöner anfühlt als Hass. Und wir hassen trotzdem.

Wir wissen, dass *Frieden* schöner ist als Streit. Und trotzdem streiten wir.

Wir wissen, dass es besser ist, wenn alle *zusammenhalten* und *miteinander teilen.* Trotzdem denken wir nur an uns selbst und sind sogar bereit, andere dafür auszunutzen.

Wer ist deswegen dumm? Gott? – Nein. Ich finde, wir Menschen sind die Dummen.

Aber ich kann deine Frage trotzdem verstehen: *Warum macht Gott den Menschen dann so?*

Meine Antwort: Weil er ihn liebt. Weil Gott uns so unglaublich liebt, hat er uns so gemacht mit allem, was wir haben: mit der Möglichkeit, zu lieben, mit der Möglichkeit nach Gott zu fragen. Mit der Möglichkeit, Gutes von Bösem zu unterscheiden. *In uns steckt beides:* die Fähigkeit, Gutes zu tun, und die Fähigkeit, Böses zu tun. Dass Gott dich so super gemacht hat, das finde ich keineswegs dumm. Sondern sehr nett und liebevoll. Und natürlich möchte Gott, dass wir das tun, was er gut findet. Darum hat er uns ja auch die Gebote gegeben. Aber die Entscheidung dafür liegt immer noch bei uns. *Dass Gott das so eingerichtet hat, gefällt mir gut.*

Wenn du und ich und alle anderen, die Gott gut finden, anfangen das Gute zu tun, dann machen vielleicht andere mit. Wir, die wir Gott kennen, müssen den Anfang machen. Das Gute tun. Die Umwelt schützen. Tiere versorgen. Andere gerecht behandeln. Damit setzen wir gute Zeichen und andere machen vielleicht mit.

Ganz herzliche Grüße dein

Harry

Marie, 12

**Gott hat das Gebot gegeben: „Du sollst nicht töten." Trotzdem
sterben im Alten Testament ganz viele Menschen. Manchmal
töten Leute im Auftrag von Gott, zum Beispiel bei David und
Goliath. Und manchmal tötet Gott selbst, zum Beispiel die Israeliten in der Wüste, als sie ungehorsam waren. Ist Gott dann nicht
selbst ein Mörder?**

Liebe Marie,

du hast ganz richtig beobachtet: In der Bibel geht es recht brutal zu.
Da werden immer wieder Kriege geführt, Menschen getötet, manchmal sogar im Auftrag von Gott. Diese Berichte klingen ähnlich wie all
die Nachrichten, die heute aktuell sind: von Kriegen, Ungerechtigkei-
ten, Tod, Bestrafung, Rache, Mord, Brutalität.

Dass es in unserer Welt so brutal zugeht, ist schon schlimm genug.
Aber dann auch noch in der Bibel? Und manchmal sogar von Gott
befohlen? Findet Gott das alles etwa gut?

Um diese Frage beantworten zu können, möchte ich mit dir eine
kleine Reise durch die Bibel machen und dabei fragen: Wie hat das
alles überhaupt angefangen? *Woher kommt der Tod denn?*

Schauen wir uns mal eine der ersten Geschichten der Bibel an. Als
Adam und Eva im Paradies lebten, kannten sie den Tod noch nicht. Sie
durften essen, was sie wollten, und mit Gott im selben Garten leben.
Aber Gott hatte einen verbotenen Baum in den Garten gesetzt. Er
sagte den Menschen, dass sie sterben müssten, wenn sie die Früchte
dieses Baums essen würden (1. Mose 2,16-17). Hier hat Gott zum ersten
Mal angekündigt, dass der Tod die Strafe dafür ist, dass jemand tut,
was Gott verboten hat.

Wie du sicher weißt, haben Adam und Eva von dieser Frucht ge-
gessen. Sie mussten den Garten verlassen. Seitdem leben die Menschen in einer Welt, in der der Tod dazugehört. Jeder Mensch muss
miterleben, wie andere Menschen sterben, auch die, die wir sehr lieben. Und auch wir selbst müssen einmal sterben.

Im zweiten Buch Mose wird davon erzählt, wie Gott einen Bund mit dem Volk Israel geschlossen und ihnen versprochen hat, ihnen als ihr Gott zur Seite zu stehen und ihnen Gutes zu tun. Dabei hat er wie vorher Gehorsam mit Leben und Ungehorsam mit Tod verbunden. Auch im dritten Buch Mose, zum Beispiel in Kapitel 26, kannst du davon lesen, wie Gott sinngemäß sagt: „Wenn ihr mir gehorcht und meine Gebote befolgt, werde ich euch euer Leben lang begleiten. Ich werde euch in das Land bringen, das ich euch versprochen habe. Wenn ihr mir nicht gehorcht und meine Weisungen nicht befolgt, werde ich mich gegen euch stellen. Ich werde euch vertreiben und ihr werdet nicht in das Land kommen, das ich euch versprochen habe."

Leider haben die Israeliten Gott immer wieder betrogen. Sie haben sich andere Götter ins Land geholt und haben Gottes Gebote mit Füßen getreten. Ist es da nicht gerecht, wenn Gott seinerseits durchzieht, was er ankündigt?

In der Bibel gibt es ein Wort, das Ungehorsam gegen Gott und damit ein Leben ohne Gott zusammenfasst: „Sünde". In Römer 6,23 steht darüber: *Die Folge von Sünde ist Tod.* Ungehorsam, Gesetzesbruch, bringt Tod mit sich. Das war in der Welt der Bibel nichts Außergewöhnliches. Und auch bei den Völkern außerhalb der Bibel. Dass Menschen, die schlimme Dinge getan haben, zur Strafe dafür getötet wurden, gehörte ganz selbstverständlich dazu. Bis ins vorletzte Jahrhundert hinein war das noch überall üblich und wurde von den Menschen sogar als gerecht empfunden. Auch in Deutschland. In einigen Ländern, auch Amerika, gibt es die Todesstrafe übrigens bis heute. Glücklicherweise ist den meisten Regierungen heute klar, dass es andere Formen der Bestrafung gibt, bei denen Menschen am Leben bleiben und auch die Chance zur Veränderung bekommen.

In den Zeiten der vielen Kriege war es ganz normal, dass dabei Leute getötet wurden. Jedes Volk hatte seinen eigenen Gott, und mit dem zog es in den Krieg. Das Volk, das den Krieg gewann, hatte demnach den größten und stärksten Gott. Als die Israeliten das Land Kanaan einnahmen (damals mit Josua, als sie aus Ägypten kamen), war es für sie darum nichts Außergewöhnliches, dass sie die Menschen, die da bereits wohnten, umbrachten.

Gott ist der größte Gott, also haben die Israeliten bei ihren Kämpfen die meisten Leute getötet. Uns heute kommt das grausam vor, aber damals war das so. Und da hatte auch niemand ein schlechtes Gewissen. Der Tod gehörte zum Leben. Und sich gegenseitig zu töten, gehörte genauso dazu wie im Tierreich, wo der Löwe das Reh tötet, ohne dass er als Mörder gilt.

Etwas anderes ist es, wenn Menschen einander umbringen, weil sie sich gestritten haben, weil sie sich rächen wollen, weil der eine eifersüchtig auf den anderen ist oder was auch immer. All das sind „niedere Motive", also persönliche Gründe. Das wird als Mord bezeichnet. Den verurteilt Gott aufs Schärfste. Darum hat Gott in seinen zehn Geboten ein Gebot eingebaut, das für die Leute damals vor 3500 Jahren etwas ganz Neues war: „Du sollst nicht töten" (so übersetzt Luther in 2. Mose 20,13). Genau genommen ist damit gemeint: „Du sollst nicht morden." So findest du das Gebot z.B. in der Guten Nachricht Bibel. Und das bedeutet in etwa: „Das Menschenleben ist vor Gott etwas Wichtiges, etwas Heiliges. Du darfst es nicht vernichten, nur weil dir der andere nicht passt. Nur Gott hat zu bestimmen, wann ein Leben zu Ende ist. Nicht du als Mensch."

Wie gesagt: Im Krieg oder als Strafe (auch durch Könige durchgeführt) war Tötung immer noch normal. Aber eben nicht mehr, weil einem die Nase des Nachbarn nicht gefallen hat. Auch im Krieg und in der Bestrafung durch Tod gab es von Gott ein Gesetz, das Rache und Verschlimmerung verhindern sollte: „Auge für Auge, Zahn für Zahn" (2. Mose 21,24). Das hieß so viel wie: „Wenn dir einer ein Auge aussticht, sollst du ihn dafür nicht gleich töten. Dann stich ihm auch *nur* das Auge aus." Aus unserer heutigen Sicht klingt das brutal. Für die damalige Zeit war das fast so etwas wie ein Friedensangebot. Man sollte es dem anderen nicht immer schlimmer heimzahlen.

Jesus hat das noch mal verschärft: „Du sollst deinen Feind lieben. Du sollst die segnen, die dich beleidigen" (Matthäus 5,44). Im Grunde hat Jesus damit die Achtung der Menschenwürde, wie wir sie heute kennen, als Erster gefordert.

Wenn also Gott Menschen tötet, dann bricht er nicht sein eigenes Gebot. Gott ist Gott. Er hat das Leben geschaffen, er darf es auch zurücknehmen. Er hat bestimmt, wann du und ich geboren sind. Er darf auch entscheiden, wann und wie wir sterben. Und niemand sonst. Von daher finde ich, ist Gott kein Mörder. Dass Gott in der Bibel immer wieder ruft: „Kehrt um zu mir, dann will ich mich euch wieder zuwenden und euch nicht bestrafen", finde ich wesentlich ungewöhnlicher. Das ist reine Gnade von Gott. Das ist im Vertrag eigentlich nicht vorgesehen. Also sollte unsere Frage eher lauten: Wie kommt es, dass Gott sein Volk und uns Menschen so oft verschont und nicht bestraft, obwohl er es klipp und klar angekündigt hat?

Ich persönlich habe mich dazu entschieden, diesem Gott zu vertrauen. Ich lese in der Bibel, dass er es gut mit mir meint. Auch wenn er mich eines Tages sterben lassen wird. Ich weiß ja, dass die, die Gott lieb haben, bei ihm weiterleben werden. Und das ist für mich keine Mördergeschichte, sondern eine Liebesgeschichte.

Ich wünsche dir alles Gute! Dein
Harry

Hanna, 10

Kann Gott auch sterben?

Liebe Hanna, nein, Gott kann nicht sterben.

Gott hat nicht nur das Leben erfunden, er IST selbst das Leben. In der Bibel steht immer wieder, Gott ist „ohne Anfang und ohne Ende" (zum Beispiel in Psalm 90,2). Das bedeutet, es hat ihn schon immer gegeben, sogar längst bevor es unsere Erde gab, und es wird ihn für immer geben. Auch wenn es dich und mich längst nicht mehr gibt und diese Erde, auf der wir leben, auch nicht.

Außerdem glauben wir Christen, dass es nach unserem Leben hier auf der Erde erst richtig losgeht! Gott hat versprochen, dass alle, die zu ihm gehören und ihm hier vertraut haben, später für immer ganz nah bei ihm leben werden. Da wird es nichts Schlimmes oder Trauriges mehr geben. Nur freuen. Und das für immer und ewig. Und das wäre alles nicht so, wenn Gott vorher oder zwischendurch einfach sterben würde.

Also: Gott stirbt nicht. Nie und nie.

Alles Gute dein
Harry

Paul, 12

Jesus hat immer wieder zu Gott gebetet. Aber Jesus ist doch Gott. Hat er also zu sich selbst gebetet?

Lieber Paul,

Jesus ist Gott. Das stimmt. Jesus hat einmal gesagt: „Der Vater und ich sind untrennbar eins" (Johannes 10,30). Trotzdem spricht Jesus immer wieder von Gott als „meinem Vater". Es gibt viele Berichte über Jesus, in denen er mit Gott, seinem Vater, gesprochen hat. Als Jesus

von Johannes getauft wurde, hörte man eine Stimme vom Himmel, die sagte: „Dies ist mein Sohn, ihm gilt meine Liebe, ihn habe ich erwählt" (Matthäus 3,17). Daraus wird schnell deutlich: Obwohl Jesus Gott ist, war der Himmel nicht leer, als Jesus auf der Erde war. Gott hat immer noch über dieser Welt gethront und gewacht.

Man sagt zwar: „Gott ist Mensch geworden." Und das stimmt auch. Aber Gott hat viel mehr Möglichkeiten, als wir uns vorstellen können.

Menschen, die sich mit der Bibel auskennen, haben versucht, das so zu erklären: In Gott entdecken wir drei Personen: den Vater, den Sohn und den Heiligen Geist. Jeder von ihnen ist ein ganz eigenständiger Charakter. Die drei können sich sozusagen jederzeit miteinander unterhalten. Jeder kann sagen: „Ich." Trotzdem sind die drei eins. Sie gehören untrennbar zusammen. Diese Verbindung hat man die „Dreieinigkeit" genannt, obwohl dieses Wort in der Bibel nicht vorkommt. Drei Personen sind Gott. Jede der drei ist für sich genommen Gott. Und doch gehören sie zusammen.

Ist kompliziert, müssen wir auch nicht ganz und gar kapieren. Die Hauptsache ist: Gott, der Vater, war immer bei allen Menschen und hat die Welt beschützt und bewacht. Auch in der Zeit, in der sein Sohn Jesus auf der Erde war. Weil Jesus Gott ist, konnte er durch die vielen Wunder und die Reden zeigen, wie Gott ist. Gleichzeitig konnte Jesus, der Sohn, aber auch immer mit Gott, dem Vater, in Verbindung treten und mit ihm sprechen.

Und so können wir das auch: Wir können zu Gott, dem Vater, beten. Und wir können zu Jesus, dem Sohn, beten. Denn auch er ist Gott.

Viel Spaß beim Beten wünscht dir dein Harry

Leonie, 12

Warum glauben so viele Menschen an Jesus, obwohl es keine Beweise dafür gibt, dass er gelebt hat?

Liebe Leonie,

was wäre denn für dich ein „Beweis" dafür, dass Jesus gelebt hat? Wer „beweist" denn, dass Platon, Aristoteles oder Archimedes wirklich gelebt haben? Von ihnen gibt es keine Geburtsurkunde. Nur ihre Schriften, ihre Reden, ihre Aussprüche und eben das, was andere über sie geschrieben haben.

So ist es auch bei Jesus. Was er gesagt und getan hat, ist aufgeschrieben worden und bis heute überliefert. Und nicht nur in der Bibel! Auch außerbiblische Schriften berichten von Jesus. Dass Jesus wirklich gelebt hat, bezweifeln selbst kritische Historiker nicht.

Was viele allerdings bezweifeln, ist, dass Jesus der Sohn von Gott ist, dass er vom Tod auferstanden ist und lebt und dass man ihm auch heute noch nachfolgen und mit ihm leben kann.

Dass Jesus vom Tod auferstanden ist, wurde zwar von denen, die dabei waren, bezeugt und bereits von Zeitzeugen notiert. Trotzdem ist das für Kritiker kein Beweis, dass ihre Aussagen wahr sind. Ob man dem, was über Jesus in der Bibel steht, glaubt, muss jeder für sich entscheiden. Dass Jesus, wie er es selbst gesagt hat, immer bei uns ist bis ans Ende der Welt (Matthäus 28,20), das kann man tatsächlich nicht wissenschaftlich beweisen. Das kann man nur glauben.

Diejenigen, die heute an Jesus glauben, also ihm vertrauen und nachfolgen, tun das nicht nur, weil sie das, was er damals gesagt und getan hat, gut finden. Sie tun es hauptsächlich, weil sie erfahren haben, dass das, was er gesagt hat, immer noch stimmt, zum Beispiel: „Kommt alle zu mir, ich will euch die Last abnehmen! Ich quäle euch nicht und sehe auf niemand herab. Stellt euch unter meine Leitung und lernt bei mir; dann findet euer Leben Erfüllung. Was *ich* anordne, ist gut für euch, und was *ich* euch zu tragen gebe, ist keine Last" (Matthäus 11,28-30).

Für Christen ist kein Beweis dafür nötig, dass Jesus gelebt hat oder jetzt noch lebt. Christen vertrauen und erfahren das in ihrem Leben: Jesus ist da. Er steht uns zur Seite und trägt uns durchs Leben.

Wenn dir das komisch vorkommt, fang doch einfach mal an, die ersten vier Bücher im Neuen Testament zu lesen. Die Menschen, die das aufgeschrieben haben, waren keine Märchenerzähler. Es waren Leute, die Jesus oder frühe Christen kennengelernt haben. Sie haben das, was sie mit Jesus erlebt haben, aufgeschrieben, damit auch andere daran teilhaben können.

Dein
Harry

Sophie, 12

Warum musste Gott seinen Sohn Jesus sterben lassen, um uns unsere Schuld zu vergeben? Das hätte er doch auch selbst tun können! Er kann das doch nicht seinen Sohn machen lassen und danach sagen: „*Ich* vergebe euch eure Schuld!"

Liebe Sophie,

die Frage, warum Gott seinen Sohn sterben lassen musste und es nicht irgendwie anders regeln konnte, ist eine ganz wichtige. Ich finde es gut, wenn du sie stellst. Denn damit zeigst du ja auch, dass du das, was damals geschah, wirklich verstehen willst.

Dass der Tod die Folge von Schuld ist, war ja nicht deine Frage. Das scheint dir also klar zu sein. Das ist der erste Punkt, den wir erst mal wirklich kapieren müssen, wenn wir über den Tod von Jesus sprechen.

Die ersten Menschen haben schon von Gott gesagt bekommen: „Ihr könnt euch dafür entscheiden, für immer mit mir in diesem schönen Garten zu leben. Mit mir in Gemeinschaft. Dann werdet ihr für immer hier leben. Aber wenn ihr wollt, könnt ihr euch auch gegen mich entscheiden. Ihr seid nicht meine Gefangenen in diesem Garten. Wenn ihr lieber auf eigenen Füßen stehen wollt, dann ist das auch eure Entscheidung. Aber ich sage euch jetzt schon: Wenn ihr euch gegen mich entscheidet, dann müsst ihr auch außerhalb dieses Gartens leben. Dann lebt ihr in einer Welt, die fern von mir ist. Dann seht ihr mich nicht mehr, dann sind wir getrennt voneinander. Und was noch schlimmer ist: Dann müsst ihr sterben." *Der Tod ist die Folge der Trennung von Gott.* Wer ohne Gott lebt, bleibt für immer von Gott getrennt.

Die Menschen haben sich gegen Gott entschieden und damit den Tod verdient. Das ging aber nicht nur Adam und Eva so. Alle Menschen auf der Erde leben von Gott getrennt. Und sie würden es auch für immer bleiben, denn jeder von uns tut Dinge, die nicht zu Gott passen. Gott ist heilig. Gott ist Licht. Und wir Menschen leben in ei-

ner unperfekten Welt. Darum tun wir Böses und erleben Böses. Und wenn wir auf dieser unperfekten Welt sterben, müssten wir weiterhin für immer und ewig von Gott getrennt bleiben.

Schlimm.

Gott liebt die Menschen so sehr, dass er sie gern aus dieser Lage befreien möchte. Er könnte jetzt natürlich einfach sagen: „Wisst ihr was, mein Gebot von früher gilt einfach nicht mehr. Ihr dürft auch so wieder ins Paradies zurück." Aber dazu ist die Lage zu ernst. Und sein Gebot vom Anfang der Welt fegt er nicht mit einer lockeren Handbewegung weg. Gott hält sich an sein Gebot: „Der Tod ist der Lohn für die Sünde." Jeder muss sterben. Und danach ist man für immer von Gott getrennt.

Es sei denn, einer übernimmt die Strafe eines anderen. Ginge das? Falls ja, würde ich als Papa gerne die Strafe für meine Kinder auf mich nehmen, damit sie nachher für immer bei Gott leben können. Ich kann aber die Strafe meiner Kinder nicht übernehmen, weil ich ja selbst bestraft werden müsste. Letztlich kann kein Mensch die Todesstrafe eines anderen auf sich nehmen, weil jeder selbst schuldig und zum Tod verurteilt ist.

Die Strafe eines anderen könnte nur jemand übernehmen, der selbst ohne Schuld ist. Das ist aber keiner von uns. Also ginge das nur, wenn einer aus dem heiligen, perfekten Himmel als Mensch auf die

Erde käme und hier sündlos leben würde. Der könnte die Strafe von sündigen Menschen auf sich nehmen.

Und jetzt endlich kommt Gott ins Spiel. Gott selbst ist Mensch geworden. *Jesus, Gottes Sohn, ist Gott in Menschengestalt.* Jesus war ganz Gott und ganz Mensch. Als Jesus am Kreuz gestorben ist, ist sozusagen Gott selbst am Kreuz gestorben. Gott hat sein Liebstes, seinen Sohn, hergegeben, damit wir wieder leben können.

Nun hast du gefragt: Warum ist Gott nicht selbst gestorben, sondern hat seinen Sohn sterben lassen? Antwort: Als Jesus gestorben ist, ist Gott selbst gestorben. Jesus ist Gott! Natürlich war der Himmel in der Zeit nicht leer, als Jesus auf der Erde war. Jesus war ein Teil von Gott. Gott, der Vater, war weiterhin im Himmel und bei Jesus und bei allen anderen Menschen. Die Welt war nicht plötzlich gottlos und unbeschützt. Aber Jesus hat ja gesagt: „Der Vater und ich sind untrennbar eins" (Johannes 10,30). Jesus ist diesen Weg ans Kreuz freiwillig gegangen. Er war mit Gott einer Meinung: Er musste sterben, damit die Menschen von der Strafe befreit werden können.

Du siehst: Gott ist also doch selbst gestorben. In diesem Moment hat sich der Himmel verfinstert, die Erde hat gebebt. Jesus, der Gottes Sohn und damit Gott selbst ist, ist gestorben.

Und Gott war trotzdem auch noch außerhalb, denn sonst hätte er sich selbst ja nicht wieder auferwecken können. Gott, der Vater, hat Jesus, seinen Sohn, vom Tod auferweckt. Damit hat er gezeigt: So kann es allen gehen, die sich Jesus anvertrauen. Die müssen keine Angst mehr vor der ewigen Strafe, vor dem ewigen Tod, haben. Jesus ist stellvertretend gestorben. Und nun dürfen alle, die an ihn glauben, ewig leben und müssen nicht mehr verloren gehen.

Dein

Harry

Lea, 9

Ist Jesus wirklich auferstanden oder ist das symbolisch gemeint?

Liebe Lea,

Jesus ist wirklich auferstanden und nicht bloß symbolisch. Als Jesus getötet wurde, hat er die Strafe auf sich genommen, die eigentlich allen Menschen gegolten hätte (Jesaja 53,4-5).

Dass Jesus wirklich wieder lebendig war, haben seine Jünger persönlich gesehen und bezeugt. Einige Jahre nach diesem Ereignis hat Paulus in einem Brief geschrieben (1. Korinther 15,4-7): „Jesus ist am dritten Tag vom Tod auferweckt worden, wie es in den Heiligen Schriften vorausgesagt war, und hat sich Petrus gezeigt, danach dem ganzen Kreis der Zwölf. Später sahen ihn über fünfhundert Brüder auf einmal; einige sind inzwischen gestorben, aber die meisten leben noch. Dann erschien er Jakobus und schließlich allen Aposteln." Einer der Jünger, Thomas, der das nicht glauben konnte, durfte sogar seine Finger in die Wunden an Händen und Füßen von Jesus legen, um sich zu überzeugen (Johannes 20,24-29).

In seinem Brief an die Korinther macht Paulus deutlich: *Wenn Jesus Christus nicht wirklich auferstanden wäre,* dann wäre unser ganzer Glaube sinnlos. Dann wäre auch unsere Schuld nicht ein für alle Mal von uns genommen.

Weil Jesus aber wirklich wieder lebendig geworden ist, hat er damit seinen Jüngern und uns anderen gezeigt: Der Tod ist besiegt und muss uns keine Angst mehr machen. Wer zu Jesus gehört, wird auch nach seinem Tod wieder leben. Zwar nicht hier auf dieser Welt, aber eben bei Gott – in einer Welt, in der es keine Angst, keine Krankheit und keinen Tod mehr gibt. Und zwar wirklich. Nicht nur symbolisch.

Dein Harry

Maja, 10

Wie konnte Jesus auferstehen?

Liebe Maja,

meinst du, wie das rein körperlich möglich war, obwohl er doch richtig tot war? Für den Vorgang, dass ein Körper zuerst vollkommen tot ist und dann wieder ganz und gar lebendig wird, gibt es keine logische Erklärung. So etwas kann nur Gott.

Gott ist es, der jedem Menschen das Leben schenkt. Er schenkt jedem Baby im Bauch einer Mutter das Leben. Und er kann auch einem Toten wieder Leben schenken. Deshalb kann deine Frage, wie Jesus auferstehen konnte, eigentlich nur Gott beantworten. Für uns Christen ist es auch nicht wichtig, wie genau das vor sich gegangen ist, als Jesus auferstanden ist. Die Hauptsache ist doch, dass Jesus tatsächlich wieder lebendig ist. Damit hat er uns und der ganzen Welt gezeigt: Der Tod ist besiegt und spricht nicht das letzte Wort über unser Leben.

Seitdem können wir wissen, dass es Gott jederzeit möglich ist, Menschen wieder zum Leben zu erwecken – und zwar zu einem ewigen Leben bei ihm. Ist das nicht klasse?

Viele Grüße

dein

Harry

Felix, 12

Ist der Heilige Geist die Liebe Gottes?

Lieber Felix,

so einfach deine Frage ist, so schwer ist sie zu beantworten. Ich möchte mit einem Beispiel beginnen.

Mama liebt die Großmutter. Deshalb schickt sie Rotkäppchen mit Kuchen und Wein zu ihr. Ist deshalb Rotkäppchen Mamas Liebe? – Nein. Aber an Rotkäppchen und ihren Leckereien im Korb kann die Großmutter sehen, dass Mama sie liebt (sofern sie denn heil bei ihr ankommt).

Auf den Heiligen Geist bezogen meine ich damit: Der Heilige Geist ist Gottes Liebesgeschenk und macht deutlich, dass Gott uns liebt. Aber er ist eine eigenständige Person.

Jesus hat über ihn gesagt: Der Heilige Geist vertritt uns vor Gott. Er ist der Stellvertreter von Jesus bei uns. Er ist also ein Teil von Gott. Trotzdem muss er als eigenständige Person, als Gegenüber, gesehen werden.

Das kann man sich zwar nicht vorstellen, weil man unter „Geist" eher was Übersinnliches versteht. Oder etwas, das man nicht so

richtig in Worte fassen kann. Wenn zum Beispiel einer den „Geist von Goethe" hat, meint man damit, dass einer im Sinne von oder in der gleichen Weise wie Goethe schreibt. Sicher kann man das beim Heiligen Geist auch so sehen: Wer den Heiligen Geist hat, handelt und redet im „Geiste" von Jesus, also im Sinne von Jesus. Das stimmt schon. Trotzdem bleibt der Heilige Geist eigenständig, denn er tut ja auch Dinge im Auftrag von Jesus an und mit uns.

Also, auf deine Frage bezogen, heißt das: Gott liebt jeden Menschen (Johannes 3,16 oder 1. Johannes 4,19). Gott, der uns wie ein Vater liebt, wird denen den Heiligen Geist schenken, die ihn darum bitten (Lukas 11,13). Der Heilige Geist erinnert uns an das, was Jesus gesagt hat (Johannes 14,26). Menschen, die den Heiligen Geist haben, lieben ihre Mitmenschen (Galater 5,22).

Alles Gute

dein

Harry

Elias, 11

Wie kann ich wissen, dass ich den Heiligen Geist habe?

Lieber Elias,

das ist nicht so einfach zu beantworten. Cool wäre, es gäbe ein sichtbares Zeichen dafür, dass man den Heiligen Geist hat (zum Beispiel
eine Taube auf der Stirn oder Ähnliches). Gibt es so etwas denn?

Als Jesus sich taufen ließ (Matthäus 3,16-17), kam der Heilige Geist
in Form einer Taube vom Himmel herunter. Das hat natürlich jeder
gesehen. Und alle wussten: Jesus hat Gottes Geist.

Als die ersten Christen, kurz nachdem Jesus auferstanden war, den
Heiligen Geist bekamen, war das auch nicht zu übersehen. In der Bibel wird erzählt, der Heilige Geist kam wie „Flammenzungen" auf sie
herab (Apostelgeschichte 2). Mit einem Schlag waren die bis dahin
ängstlichen Jünger mutig, liefen nach draußen auf die Straße und
erzählten allen, die sich dort aufhielten, von Jesus. Und obwohl die
Leute aus ganz unterschiedlichen Ländern kamen, verstand jeder die
Jünger in ihrer eigenen Sprache. Ein deutlich sichtbares und hörba-
res Zeichen vom Heiligen Geist.

Aber danach? Gibt es eindeutige Zeichen, damit ich selbst und
auch andere wissen, dass jemand den Heiligen Geist hat?

Es gibt in der Bibel eine Aufzählung von außergewöhnlichen Fähigkeiten, die der Heilige Geist schenken kann. Dazu gehört zum Beispiel
Kranke zu heilen, in unbekannten Sprachen zu reden oder Wunder
zu vollbringen (in 1. Korinther 12 kannst du davon lesen). Für manche
Christen ist das tatsächlich ein Erkennungszeichen für den Heiligen
Geist. Wer eine dieser Fähigkeiten geschenkt bekommen hat, bei dem
weiß man, dass er den Heiligen Geist hat.

Das ist allerdings frustrierend für aufrichtige Christen, die weder
predigen noch heilen noch in unbekannten Sprachen sprechen können. Die müssten daraus ja die Schlussfolgerung ziehen, sie hätten

den Heiligen Geist nicht, obwohl sie Christen sind.

Mich freut eine Aussage von Jesus, die in Lukas 11,11-13 steht: „Ist unter euch ein Vater, der seinem Kind eine Schlange geben würde, wenn es um einen Fisch bittet? Oder einen Skorpion, wenn es um ein Ei bittet? So schlecht ihr auch seid, ihr wisst doch, was euren Kindern guttut, und gebt es ihnen. Wie viel mehr wird der Vater im Himmel denen den Heiligen Geist geben, die ihn darum bitten." Auch die Bibelstelle in Epheser 1,13-14 ermutigt mich: „Nachdem ihr zum Glauben gekommen seid, habt ihr den Heiligen Geist bekommen. Den hat Gott versprochen und der hat euch wie ein Eigentumsstempel geprägt. Dieser Heilige Geist ist sozusagen ein erster Vorschuss für das riesige Erbe, das wir noch erhalten werden: nämlich vollkommen erlöst zu sein und ganz Gott zu gehören."

Daraus schließe ich: Wer zum Glauben an Jesus gekommen ist, erhält den Heiligen Geist. Und wer Gott darum bittet, erst recht.

In Johannes 14 und 15 kannst du noch mehr über die Aufgaben des Heiligen Geistes lesen. Er zeigt uns zum Beispiel immer wieder, dass wir Jesus brauchen. Er tritt bei Gott für uns ein und erinnert Gott daran, dass er uns vergeben hat. Paulus hat in seinem Brief an die Römer geschrieben, dass man ohne den Heiligen Geist überhaupt nicht Christ sein kann (Römer 8,9).

Der Geist Gottes lässt in uns eine Menge „guter Früchte" wachsen: „Liebe, Freude und Frieden, Geduld, Freundlichkeit und Güte, Treue, Bescheidenheit und Selbstbeherrschung" (Galater 5,22-23). Hast du schon mal gemerkt, dass du in dem einen oder anderen Punkt freundlicher oder geduldiger geworden bist, seit du Christ bist? So eine Veränderung kann der Heilige Geist schenken. An solchen „guten Früchten" kann man zum Beispiel erkennen, dass jemand den Heiligen Geist hat. Aber keine Angst: Auch wenn du das Gefühl hast, bei dir hat sich noch nichts verändert: Der Heilige Geist macht nicht alles auf einmal. Wenn du zu Jesus gehörst, dann hat Jesus dir auf jeden Fall seinen guten Geist gegeben. Und du wirst staunen, was er nach und nach aus dir macht.

Tipp:

Schreib doch heute mal auf, an welchen Punkten du dich gern verändern möchtest (zum Beispiel freundlicher zu Geschwistern sein, nicht so schnell ausrasten, geduldiger mit schlechten Mitschülern sein oder so). Und dann fang an, Gott um Veränderung zu bitten. Nach ein oder zwei Jahren schaust du dir den Zettel noch mal an. Hat sich schon was getan? Toll. Noch nicht? Nur die Geduld nicht verlieren. Vielleicht fallen dir bis dahin sogar noch mehr Dinge ein, die bei dir nicht in Ordnung sind und die Gott verändern soll. Auch diese Gedanken kann der Heilige Geist schenken. Du siehst: Der Heilige Geist tut eine Menge. Aber er macht sich nicht so laut bemerkbar, wie man das gern hätte. Du kannst dich aber darauf verlassen, dass er dir zur Seite steht, sobald du Gott darum gebeten hast.

Alles Gute in deinem Leben mit dem Heiligen Geist wünscht dir

dein

Harry

Clara, 10

Meine Lehrerin hat gesagt: „Den Teufel gibt es nicht." Ich habe geantwortet, dass es den Teufel doch gibt. Aber sie hat mir nicht geglaubt. Wer hat recht?

Liebe Clara, das mit dem Teufel ist so eine Sache.

In der Bibel wird tatsächlich immer wieder von ihm berichtet. Dort bekommt er an unterschiedlichen Stellen unterschiedliche Bezeichnungen. Das Wort „Teufel" bedeutet: „der Durcheinanderbringer". Manchmal wird er auch als Satan bezeichnet, das bedeutet: „der Ankläger". *Petrus nennt ihn einen Feind,* der wie ein brüllender Löwe herumschleicht, um jemanden zu verschlingen (1. Petrus 5,8). Paulus sagt, dass sich der Teufel sogar als Engel des Lichts ausgibt (2. Korinther 11,14). Johannes sieht ihn in einer Vision als einen großen Drachen und erklärt: „Er ist die alte Schlange, die auch Teufel und Satan genannt wird und die ganze Welt verführt" (Offenbarung 12,9). In verschiedenen Geschichten der Bibel tritt er als Dämon auf, als „böser Geist", als Schlange oder als „gefallener Engel". Es gibt sogar einen Bericht davon, wie der Teufel Jesus in der Wüste aufsucht und alles daransetzt, ihn zum Bösen zu verführen (Lukas 4,1-13).

In einem Brief an die Epheser warnt Paulus eindringlich davor, den Teufel und seine Mächte zu unterschätzen. Er schreibt: „Noch ein letztes Wort: Werdet stark durch die Verbindung mit dem Herrn! Lasst euch stärken von seiner Kraft! Legt die Waffen an, die Gott euch gibt, dann können euch die Schliche des Teufels nichts anhaben. Denn wir kämpfen nicht gegen Menschen. Wir kämpfen gegen unsichtbare Mächte und Gewalten, gegen die bösen Geister, die diese finstere Welt beherrschen. Darum greift zu den Waffen Gottes! Wenn dann der schlimme Tag kommt, könnt ihr Widerstand leisten, jeden Feind niederkämpfen und siegreich das Feld behaupten" (Epheser 6,10-17).

Die Bibel lässt also keinen Zweifel daran, dass es den Teufel gibt. Wenn diese Welt zu Ende ist, wird er in einen See voller brennendem Schwefel geworfen, aus dem er nicht mehr herauskommt (Offenbarung 20,10). Wir Christen stehen jetzt schon auf der Seite von Jesus. Und Jesus hat den Tod und den Teufel besiegt. Allen, die zu Jesus gehören, kann der Satan nichts anhaben.

Ich möchte dich dazu ermutigen, das Thema „Teufel" nicht allzu hoch zu hängen. Vor allem solltest du selbst keine Angst davor haben oder Angst verbreiten. Je mehr wir uns mit dem Satan beschäftigen und von ihm reden, umso wichtiger machen wir ihn. Und das hat er nicht verdient.

Ganz herzliche Grüße *dein* *Harry*

Max, 9

Warum hat Gott den Teufel gemacht?

Lieber Max,

tja, das ist eine schwierige Frage. Leider können wir Menschen nicht beantworten, mit welcher Absicht Gott den Teufel gemacht (oder zumindest zugelassen) hat. Alle Antworten, die du hörst, sind reine Vermutungen. Die Bibel äußert sich nicht dazu. Letztlich müssen wir einfach damit leben, dass es da jemanden gibt, der der Feind von Gott ist und versucht, uns von ihm wegzulocken. Gleichzeitig ist es aber auch gut zu wissen, dass er keine Macht über uns hat, wenn wir uns Jesus, Gottes Sohn, anvertrauen.

Jesus hat den Tod (und damit auch den Teufel) besiegt und ist stärker (1. Johannes 3,8). Wenn wir Jesus vertrauen und mit ihm reden (beten), dann muss uns der Satan keine Angst machen.

Aber warum Gott den Teufel gemacht hat, kann ich dir leider nicht sagen. Das frage ich mich nämlich auch immerzu, wenn ich das viele Leid in der Welt sehe.

Viele Grüße  *dein* *Harry*

Noah, 11

In 1. Mose 3 steht etwas von einer Schlange. Wer war sie? War das der Teufel, wie manche das sagen, und woher wissen sie das? Woher kam die Schlange? Hat Gott sie gemacht? Hat Gott also den Teufel gemacht?

Lieber Noah,

wow, du machst dir eine Menge Gedanken. Damit fragst du dich das Gleiche, was sich Menschen schon seit Beginn der Welt fragen. Und bis heute gibt es keine befriedigende Antwort darauf. Die wenigen Hinweise, die ich dir geben kann, sind leider auch unvollständig und machen nur deutlich, wie wenig wir Menschen hinter Gottes Kulissen schauen können.

Also, zu deinen Fragen:

1. Wer oder was war die Schlange in 1. Mose 3?

Zunächst steht dort tatsächlich nichts vom Teufel, sondern nur von einer Schlange. Aber sie war listiger als alle anderen Tiere. Und sie konnte sprechen (was ja schon ungewöhnlich ist). Aus dem, wie und was sie redet, kann man aber gut schlussfolgern, dass der Satan dahintersteckt. Denn es ist sein Anliegen, den Menschen aus der Nähe Gottes zu ziehen (1. Petrus 5,8). In Offenbarung 12,9 wird der Teufel als „die alte Schlange" bezeichnet. Der Teufel hat sich also einer Schlange als Mittel bedient, um den Menschen anzusprechen.

2. Woher kam die Schlange? Hat Gott sie gemacht?

Das wäre damit klar: Ja, Gott hat sie erschaffen. Und Satan hat sie für seine Zwecke missbraucht.

3. Hat Gott den Teufel gemacht?

Gott hat alles geschaffen. Er hat eine Welt gemacht, die rundum perfekt war (ohne Disteln und Dornen auf dem Acker, ohne Schmerzen bei der Geburt, ohne Angst vor Gott usw.). Aber der Satan, der auch in diesem paradiesischen Garten den Menschen falsche Gedanken eintrichtert, steckte schon in dieser Welt mit drin.

Die Bibel erklärt nicht eindeutig, woher der Teufel kommt. Manche vermuten, der Teufel sei ein „gefallener Engel", der sich gegen Gott aufgelehnt hat. Es gibt Bibelstellen, die von „Engeln, die sich gegen Gott vergangen haben" berichten (zum Beispiel in 2. Petrus 2,4 oder Judas 6). Aber darin steht nicht, dass der Teufel einer davon ist. Jesus spricht einmal vom ewigen Feuer, das für den Teufel und seine Engel bestimmt ist (Matthäus 25,41). Demnach hat der Teufel auch Engel (Dämonen oder böse Geister), denen er Befehle erteilen kann. Ist der Teufel deshalb auch ein Engel? Schwer zu sagen.

Im ersten Kapitel vom Buch Hiob wird erzählt, wie sich einmal Gottes Hofstaat zur himmlischen Ratsversammlung trifft. Da ist der Satan einer von ihnen. Er scheint also sein Unwesen nicht zu treiben, ganz ohne Gott zwischendurch zu treffen. Immerhin ist er Gott untergeordnet.

Wie du siehst, ist das Ganze nicht so einfach zu beantworten. Ich persönlich würde sagen: Weil Gott alles gemacht hat, hat er auch den Teufel gemacht. Sonst wäre der Teufel aus sich selbst entstanden oder genauso ewig wie Gott und damit Gott ebenbürtig. Das ist er aber nicht. Und am Ende der Welt wird er in den „See von brennendem Schwefel" geworfen (Offenbarung 20,10).

Ich hoffe, du kannst mit diesen wenigen Angaben trotzdem etwas anfangen! Dein

Harry

Amelie, 11

Gott hat ja die Welt geschaffen. Wieso hat er dann auch den Baum der Erkenntnis über Gut und Böse gemacht?

Liebe Amelie,

es stimmt, Gott hat die Erde und die Menschen gemacht. Er hat die Menschen als sein Gegenüber erschaffen, als Menschen mit freiem Willen. Die Menschen sollten sich freiwillig für ihn entscheiden. Gott wollte keine Marionette, keinen Roboter, dem gar nichts anderes übrigbleibt, als ihm zu gehorchen, weil er so programmiert wurde.

Wie könnte denn der Mensch Gott zeigen, dass er ihm vertraut und ihm gehorchen will, wenn er nie die Chance hätte, ihm zu misstrauen oder ungehorsam zu sein? Gott hat den „Baum der Erkenntnis" gemacht, um dem Menschen zu zeigen: „Du darfst alles, aber es gibt auch eine Grenze. Wenn du mir vertraust, überschreite diese Grenze nicht. Es ist gut für dich, mir zu vertrauen und auf das zu hören, was ich dir sage. Deshalb bleib einfach innerhalb der Grenzen." (In 1. Mose 2 kannst du das nachlesen.)

Der Baum war die Grenze. Und anfangs war auch alles kein Problem. Der Baum war da, aber niemand brauchte ihn. Denn der Mensch fühlte sich ja von Gott gut versorgt.

Aber dann kam die Schlange (1. Mose 3). Das Misstrauen. Die bösen Gedanken. „Sollte Gott gesagt haben, du darfst hier im Garten überhaupt nichts essen? Will Gott dich etwa einsperren?" So fängt doch das Misstrauen an. Der Mensch hat sich von dem Misstrauen einwickeln lassen. Er hat die Grenze übertreten und Gott damit deutlich gemacht: „Ich vertraue dir nicht ganz. In Wirklichkeit glaube ich, dass du mich kleinhalten willst. Du willst gar nicht, dass ich alles genießen kann. Deshalb halte ich mich nicht an das, was du sagst, sondern überschreite die Grenzen. Danach geht es mir bestimmt besser."

Aber es ging ihm danach nicht besser. Plötzlich fühlte sich der Mensch nackt und schutzlos. Er schämte sich. Dieses Gefühl kannte er bis dahin nicht.

Und so ist es bis heute: Gott versorgt uns gut. Er schenkt uns so viel und erlaubt uns so viel. Aber oft sehen wir nur auf das, was wir *nicht* haben oder *nicht* dürfen. Wir werden misstrauisch und denken, uns gehe es nur gut, wenn wir tun, was Gott nicht gut findet. Aber die Folgen sind oft Einsamkeit, Abstumpfung, Traurigkeit, Sinnlosigkeit, schlechtes Gewissen, Scham.

Also zurück zu deiner Frage: Ich denke, Gott hat den „Baum der Erkenntnis" geschaffen, damit der Mensch die Möglichkeit hat, Gott sein Vertrauen zu zeigen. Denn man kann sich nur für das Gute entscheiden, wenn es auch die Möglichkeit gibt, das Böse zu tun.

Heute ist die Welt voller „Bäume der Erkenntnis". Wir haben immer die Möglichkeit, etwas Gutes zu tun. Aber oft tun wir genau das Gegenteil.

Ich wünsche dir heute viel Weisheit, um dich in den verschiedenen Situationen für das Gute und gegen das Böse zu entscheiden.

Dein

Harry

Nele, 12

Gibt es wirklich Geister? Ich hab mal mit zwei Freundinnen „Gläserrücken" gespielt und wir hatten den Eindruck, dass da ein Geist im Raum war.

Liebe Nele, die Sache mit den Geistern ist leider sehr ernst und nicht so harmlos, wie es manche Jugendliche, Lehrer oder andere Erwachsene darstellen.

Laut Bibel gibt es *Mächte zwischen Himmel und Erde,* die wir nicht sehen können, die aber versuchen, direkt auf unser Leben einzuwirken. In Epheser 6,12 schreibt Paulus: „Wir kämpfen nicht gegen Menschen. Wir kämpfen gegen unsichtbare Mächte und Gewalten, gegen die bösen Geister, die diese finstere Welt beherrschen." In vielen Berichten von Jesus ist die Rede von Menschen, die von bösen Geistern oder Dämonen besessen sind. Die Geister erkennen Jesus als Sohn Gottes, schreien laut auf, wenn sie ihn sehen, quälen den Menschen, in dem sie leben, und haben nur Zerstörung im Sinn.

Nun könnte man sagen: Was in der Bibel steht, ist ja 2000 Jahre her. Damals haben die Leute noch an Geister geglaubt, heute sind wir aufgeklärter.

Aber das Gegenteil ist der Fall: Immer wieder hört man davon, wie sich Menschen auf Dinge einlassen, die in irgendeiner Form mit Dämonen oder bösen Geistern zu tun haben. Anschließend erzählen diese Leute, dass sie nun das Gefühl haben, von Geistern und finsteren Mächten umgeben zu sein. Sie berichten von Angst, Depressionen und anderen Sachen, die sie quälen. Es gibt Leute, die bewusst den „Herrscher der Dämonen", Satan höchstpersönlich, anbeten und verehren. Die nennt man Satanisten. Die können ebenfalls bestätigen, dass es sowohl den Satan als auch Geister und Dämonen gibt.

Die Geschichten aus der Bibel zeigen: Die Menschen selbst haben keine Chance, sich aus eigener Kraft von diesen Dämonen zu befreien. Aber sie erleben: Jesus ist stärker. Er hat die Macht – auch über den Satan und seine Diener.

Ich würde dir dringend empfehlen, an Sitzungen wie „Gläserrücken", in denen es um finstere Mächte geht, nicht mehr teilzunehmen. Denn böse Geister gibt es wirklich. Und sie haben nur ein Ziel: Menschen zu zerstören und von Gott fernzuhalten.

Jesus hat genau das entgegengesetzte Ziel: Er will die Menschen retten und ihnen das Leben schenken. Das finde ich absolut die bessere Alternative.

Wenn du dich nach deiner Gläserrücken-Aktion bedrückt oder bedroht fühlst, wenn du Albträume oder Angstvorstellungen hast, dann schlage ich dir vor, dass du dich im Gebet an Jesus wendest. *Jesus ist stärker als alles Böse.* Er kann dich auch von der Angst befreien. Wenn du willst, kannst du auch mit Christen in deiner Umgebung darüber reden. Auf keinen Fall solltest du mit deinen Ängsten allein bleiben.

Lass dich herzlich grüßen von Harry

Jonas, 11

Was ist mit den Menschen, die nie etwas von Jesus erfahren haben: Kommen sie in die Hölle?

Lieber Jonas,

die Aussage der Bibel ist zunächst einmal diese: „Wer sich an den Sohn hält, hat das ewige Leben. Wer nicht auf den Sohn hört, wird niemals das Leben finden; er wird dem Zorngericht Gottes nicht entgehen" (Johannes 3,36; siehe auch Römer 3,28 oder Galater 2,16). Petrus bringt es an einer anderen Stelle noch mal auf den Punkt: „Jesus Christus und sonst niemand kann die Rettung bringen. Auf der ganzen Welt hat Gott keinen anderen Namen bekannt gemacht, durch den wir gerettet werden könnten" (Apostelgeschichte 4,12). Das heißt: Laut Bibel führen alle anderen Religionen, alle anderen Weltanschauungen an Gott und damit am ewigen Leben vorbei.

Nun könnte man sagen: „Das ist doch gemein! Die *Menschen in anderen Religionen beten auch einen Gott an,* vielleicht sogar denselben! Niemand kann doch wissen, ob nicht vielleicht die anderen Religionen genauso recht haben – oder vielleicht sogar noch mehr?" Ja, das könnte man natürlich einwenden. Die anderen Religionen sagen ja auch über sich selbst, dass man nur über ihren Weg in den Himmel, ins Paradies oder in einen anderen erlösten Zustand kommt. Aber für mich, der ich Christ bin und mein Leben an Jesus orientiere, ist nun einmal die Bibel der Maßstab für meine Sicht auf die Welt. Darum nehme ich die Aussagen der Bibel ernst. Auch wenn sie so klingen, als würden damit 70 Prozent der Menschheit mal eben verurteilt.

Nun kann man wie du fragen: „Was ist denn mit denen, die nie die Gelegenheit hatten, von Jesus zu erfahren? Wenn ein Kind im Sudan aufwächst oder im Iran und nur im muslimischen Glauben unterrichtet wird, kann es doch gar nicht auf Jesus hören oder ihn ablehnen!" *Auf diese Frage gibt uns die Bibel keine eindeutige Auskunft.* Es gibt *keine* Bibelstelle, in der wörtlich steht: „Alle, die niemals von Jesus erfahren, gehen verloren." Sie sagt aber auch nicht: „Für den, der Jesus nicht kennengelernt hat, hat Gott noch andere Möglichkeiten der Rettung."

In Matthäus 25,31-46 erzählt Jesus davon, wie der große Richter am Ende der Welt alle Völker (auch die, die nie von ihm gehört haben) vor sich versammelt und sie in zwei Gruppen aufteilt: Die einen haben (ohne es zu wissen) Jesus Gutes getan, indem sie einem seiner Nachfolger etwas Gutes getan haben. Die anderen haben Jesus das Gute verweigert, indem sie eben nicht denen geholfen haben, die mit Jesus unterwegs sind (die sind in Vers 40 gemeint, siehe auch Matthäus 10,40-42). Die erste Gruppe darf in Gottes neue Welt einziehen, die andere Gruppe muss „in das ewige Feuer, das für den Teufel und seine Engel vorbereitet ist".

Darin sehen manche Leute die Möglichkeit, dass Jesus auch nach gutem Verhalten urteilt und nicht nur danach, wer ihn angenommen hat. Andererseits muss man hier beachten, dass Jesus ausdrücklich die belohnt, die seinen Nachfolgern Gutes tun (die er hier als „geringste

Brüder" bezeichnet), und nicht jeden, der armen Menschen ganz allgemein hilft. Also kann man die Bibelstelle nicht ohne Weiteres auf irgendein arabisches Kind übertragen, das niemals einen Christen trifft. Das kann ja einem „geringsten Bruder" von Jesus nichts Gutes tun.

Du siehst: Es bleibt schwierig. *Ich weiß aber, dass Gott alle Menschen liebt.* Und ich weiß, dass Gott fair ist. Darum vertraue ich darauf, dass Gott auch für die Menschen in China und Afrika, im Dschungel und am Nordpol Möglichkeiten der Rettung hat, auch wenn sie sterben, ohne jemals etwas von Jesus erfahren zu haben.

So, wie ich die Bibel verstehe, gilt das harte Urteil (Himmel oder Hölle, wie du es nennst) für die, die schon von Jesus gehört und sich dann bewusst gegen ihn entschieden haben.

Solange Jesus seinen Auftrag nicht zurücknimmt, dass wir die ganze Welt mit ihm bekannt machen sollen, sind überall auf unserem Planeten Missionare unterwegs, die auch in den letzten Winkeln davon erzählen, dass Jesus der Weg zu Gott ist und dass Gott sie so sehr liebt, dass er Jesus für sie in die Welt gesandt hat.

Ich hoffe, deine Frage ist damit trotzdem einigermaßen beantwortet, auch wenn ich nicht eindeutig Ja oder Nein sagen konnte.

Es grüßt dich herzlich dein Harry

Johanna, 12

Wie ist das nach dem Tod? Da kommt man ja in das „ewige Leben", aber neulich habe ich gehört, zuerst kommt man vor ein Gericht. Was ist das? Es wäre nett, wenn du mich mal über die ganze Sache mit dem Tod und dem ewigen Leben aufklären könntest.

Liebe Johanna,

mit „ewigem Leben" ist ein Leben ohne Anfang und Ende gemeint, ohne Zeit. Und das eben ganz nah bei Gott. Ein Leben, das nur aus dem besteht, was uns guttut: ohne Angst, Leid, Streit, Krieg und so weiter. Nur noch Frieden, Sonne, Licht, Wärme, Freude.

In Offenbarung 21 wird beschrieben, wie Gott bei den Menschen wohnt. Er wird bei ihnen bleiben und sie werden seine Völker sein. „Gott selbst wird als ihr Gott bei ihnen sein. Er wird alle ihre Tränen abwischen. Es wird keinen Tod mehr geben und keine Traurigkeit, keine Klage mehr und keine Qual. Was bisher war, ist für immer vorbei" (aus Offenbarung 21,3-4).

Was ist nun das „Gericht" und wann kommt das?

Im Buch Offenbarung steht: „Dann sah ich einen großen weißen Thron und den, der darauf sitzt. Die Erde und der Himmel flohen bei seinem Anblick und verschwanden für immer. Ich sah alle Toten, Hohe und Niedrige, vor dem Thron stehen. Die Bücher wurden geöffnet, in denen alle Taten aufgeschrieben sind. Dann wurde noch ein Buch aufgeschlagen: das Buch des Lebens. Den Toten wurde das Urteil gesprochen; es richtete sich nach ihren Taten, die in den Büchern aufgeschrieben waren. [...] Alle empfingen das Urteil, das ihren Taten entsprach" (Offenbarung 20,11-13). Hier siehst du: Am Ende der Welt gibt es ein sogenanntes Gericht. Dabei werden die einen nach ihren Taten beurteilt. Die anderen, deren Namen im „Buch des Lebens" stehen, werden von vornherein freigesprochen. Über die wird gar kein Urteil gefällt.

Tja, da wäre es doch gut, jeder von uns stünde in diesem Buch, oder? Wie kriegt man denn seinen Namen da rein?

Ich weiß nicht, wie viel du schon über Jesus weißt und über das, was er für die Menschen getan hat. Jesus ist in dieser ganzen Sache mit Tod, Gericht und Ewigkeit die Schlüsselfigur. Jesus sagt über sich und Gott, seinen Vater: „Wie der Vater die Toten auferweckt und ihnen das Leben gibt, so gibt auch der Sohn das Leben, wem er will. Auch seine ganze richterliche Macht hat der Vater dem Sohn übergeben; er selbst spricht über niemand das Urteil. [...] Alle, die auf mein Wort hören und dem glauben, der mich gesandt hat, haben das ewige Leben. Sie kommen nicht mehr vor Gottes Gericht; sie haben den Tod schon hinter sich gelassen und das unvergängliche Leben erreicht" (Johannes 5,21-22.24). Das bedeutet: Wer sich Jesus anvertraut, der überspringt das Gericht und hat sofort das ewige Leben (Johannes 5,24).

Noch zwei wichtige Bibelstellen dazu: „Gott hat der Welt seine Liebe dadurch gezeigt, dass er seinen einzigen Sohn für sie hergab, damit jeder, der an ihn glaubt, das ewige Leben hat und nicht verloren geht" (Johannes 3,16). In Johannes 11,25-26 sagt Jesus: „Ich bin die Auferstehung und das Leben. Wer mich annimmt, wird leben, auch wenn er stirbt, und wer lebt und sich auf mich verlässt, wird niemals sterben."

Und wann beginnt das ewige Leben?

Für Christen, die zu Jesus gehören, beginnt dieses Leben direkt nach dem Tod. Für die anderen, die nicht zu Jesus gehören, kommt zuerst das Gericht.

Ob das Gericht direkt fünf Sekunden nach dem Tod stattfindet oder ob es erst am Ende der Welt stattfindet und die Toten so lange in einen Warte-Zustand kommen, lässt sich aus der Bibel nicht so ganz herauslesen. Über diese Frage streiten sich die Theologen. Ein Verbrecher, der neben Jesus am Kreuz hing, hat zu ihm gesagt: „Denk an mich, wenn du in dein Reich kommst." Darauf hat Jesus geantwortet: „Du wirst noch heute mit mir im Paradies sein" (Lukas 23,43). Das hört sich an, als ginge der Tote direkt in Gottes Reich hinüber.

Letztlich ist es auch egal, denn wenn man tot ist, gibt es ja keine Zeit mehr. Und dann sind fünf Sekunden und tausend Jahre genau dasselbe. Es wird einem so vorkommen, als sei es sofort nach dem Tod, auch wenn vielleicht nach unserer Rechnung noch hundert Jahre dazwischenliegen.

Wenn du dich noch mehr über das Ende der Welt, den Tod und das Gericht in der Bibel informieren willst, schlage ich dir folgende Bibelstellen vor:

- Matthäus 24–25
- 1. Korinther 15
- Offenbarung 20–22

Und nun wünsche ich dir noch viel Spaß beim Weiterlesen und beim Studieren der Bibel!

Dein Harry

Finja, 9

Woher weiß man, ob die Bibel wahr ist? Stimmt es, dass einige Sachen dazuerfunden wurden?

Liebe Finja,

meinst du mit „wahr", dass die aufgeschriebenen Geschichten tatsächlich genau so und nicht anders passiert sind? Oder möchtest du wissen, ob die Aussagen der Bibel über Gott, die Menschen und das Leben Wahrheiten weitergeben oder nur ausgedacht sind?

Beides kann man nicht beweisen. Im Grunde könnte man immer kritisch behaupten, irgendjemand hätte sich das alles nur ausgedacht.

Allerdings haben Menschen unserer Zeit Hinweise dafür gefunden, dass zum Beispiel die Personen, die in der Bibel vorkommen, tatsächlich gelebt haben. Schriften außerhalb der Bibel bestätigen das. Außerdem wurden vor über 70 Jahren in einer alten Höhle Schriftrollen entdeckt, die fast 2000 Jahre alt sind. Darunter sind auch Bücher aus dem Alten Testament. Die Texte darin decken sich beinahe wortwörtlich mit denen, die wir heute haben, obwohl der Buchdruck erst vor 500 Jahren erfunden wurde. Das zeigt: In all den Jahrhunderten, in denen die Bibel immer und immer wieder abgeschrieben wurde, haben die Menschen das wirklich sehr gewissenhaft getan, ohne einfach etwas zu streichen oder hinzuzufügen. Manche Leute behaupten ja, durch das viele Abschreiben seien die ursprünglichen Texte verfälscht worden. Aber der Vergleich mit den alten Schriftrollen, die man entdeckt hat, zeigt, dass das nicht stimmt.

Wäre das für dich ein Beweis dafür, dass die Bibel „wahr" ist? Wer die Bibel kritisch betrachtet, könnte auch jetzt noch einwenden: Nur weil die Personen tatsächlich gelebt haben, müssen deren Berichte ja nicht stimmen. Man könnte noch behaupten, die Berichte in der Bibel wären nur Beispielgeschichten. Oder Märchen mit einem „guten Kern".

Und was meinst du mit „dazuerfunden"? Meinst du damit, dass die Autoren damals einfach Tatsachenbericht und märchenhafte Erfindung vermischt haben? Dass zum Beispiel die Geschichte von den Jüngern im Sturm echt ist; dass aber hinzugedichtet wurde, dass Jesus auf dem Wasser gelaufen ist?

Das kann man nachträglich natürlich nicht nachweisen. Aber ich frage mich, welchen Grund die Jünger gehabt haben sollten, sich solche Dinge über Jesus oder andere Begebenheiten auszudenken. Dass es den christlichen Glauben heute noch gibt, liegt ja nicht daran, dass die Geschichten über Jesus und seine Wunder so erstaunlich wären. Sondern daran, dass Menschen, die Jesus nachfolgen, davon erzählen, wie Jesus ihnen auch heute noch hilft und in das persönliche Leben eingreift. Wir könnten viele Wundergeschichten aufschreiben, die Christen aus der ganzen Welt heute erleben!

Wenn du mich fragst: Ich halte die Bibel für wahr. Nicht weil irgendjemand mir bewiesen hätte, dass alles genau so stimmt, sondern weil ich Gott vertraue. Ich glaube, dass es stimmt, was in der Bibel steht: dass Gott die Welt gemacht hat und dass ich selbst mit ihm sprechen kann. Ich glaube auch, dass Gott mit mir reden möchte, wenn ich in der Bibel lese. Weil ich Gott das glaube, halte ich die Bibel für das wichtigste Buch, das Gott uns gegeben hat, um ihn kennenzulernen.

Wer Gott nicht vertraut, kann die Bibel immer kritisieren, denn er kennt den nicht, der dafür gesorgt hat, dass wir die Bibel haben.

Ich möchte dich etwas anderes fragen: Wenn deine Mutter zu dir sagt: „Ich hab dich lieb", woher weißt du dann, dass das wirklich wahr ist? Sie könnte dich ja auch anlügen, oder? Ich nehme an, du glaubst es ihr auch ohne Beweise, denn du hast sie ja selbst lieb. Darum glaubst du ihr wahrscheinlich, dass sie wirklich ernst meint, was sie sagt.

So ist das auch mit der Bibel. Gott hat uns Menschen lieb. Das lesen die, die Gott vertrauen, in der Bibel. Und er lädt uns ein, ihm zu glauben, dass er es ernst mit uns meint und uns nicht anlügt. Auch nicht durch die Bibel. Und deshalb finde ich, kannst du dich auf das, was in der Bibel steht, verlassen.

Viel Spaß beim Bibellesen und -entdecken wünscht dir dein
Harry

Philipp, 10

Wie entstand das Neue Testament? Von wem wurde es geschrieben?

Lieber Philipp, als Jesus vor zweitausend Jahren auf der Erde war, hat er viele Menschen in Israel total verändert. Sie haben mit Jesus ein neues Leben begonnen und wollten so leben, wie er es gesagt und vorgelebt hat. Im Laufe der Zeit kamen immer mehr Menschen dazu, die auch so leben wollten.

Dann starb Jesus und wurde von Gott wieder auferweckt. Bevor er zurück zu seinem Vater in den Himmel ging, trug er seinen engsten Freunden auf, weiterhin an dem festzuhalten, was er ihnen beigebracht hatte. Er versprach ihnen, immer bei ihnen zu sein, auch wenn sie ihn nicht mehr sehen könnten. Und so war es. Die Nachfolger von Jesus (genannt „Jünger") erlebten, dass auch sie Kranke heilen konnten, dass Jesus ihnen in Gefahren zur Seite stand und dass immer mehr Menschen zu ihnen gehören wollten.

Die Gruppe von Jesus-Nachfolgern wurde bald Christen genannt. Einige traten weite Reisen an und erzählten Leuten auf der ganzen Welt von Jesus. Weil sie aber immer nur kurze Zeit in einem Ort waren, schrieben sie den neuen Christen lange Briefe, in denen sie ihnen erklärten, was über Jesus wichtig ist und wie ein Leben als Christ aussehen kann.

Aber dann gab es ein Problem: Die engsten Freunde von Jesus waren alt geworden. Einige waren schon gestorben. Wie sollten die neuen christlichen Gemeinden die Geschichten von Jesus in Erinnerung behalten, wenn diejenigen, die sie selbst erlebt hatten, nicht mehr lebten? Woher sollten sie nun wissen, was wirklich wichtig ist für eine Gemeinde? *Da begannen einige, die Geschichten von Jesus aufzuschreiben.* Matthäus und Johannes zum Beispiel hatten zum Kreis der zwölf Jünger gehört und konnten darum aufschreiben, woran sie sich erinnerten (davon berichten Bischof Papias und Bischof Irenäus im 2. Jahrhundert nach Christus). Markus war ein Freund und Dolmetscher von Petrus. Durch ihn hatte er viel über Jesus gehört und konnte das aufschreiben (davon berichtet ebenfalls Bischof Papias in einem Dokument aus dem 2. Jahrhundert). Lukas hat wie ein Zeitungsreporter Leute befragt, die Jesus kennengelernt hatten (in Lukas 1,1-4 erzählt er selbst davon). Lukas hat übrigens auch ein Extrabuch darüber geschrieben, wie es weiterging, nachdem Jesus wieder bei

Gott war. Die Geschichten über Jesus und seine Jünger kannst du in den ersten Büchern des Neuen Testaments nachlesen.

Neben den Berichten von Jesus, die wir kennen, gab es noch viele andere Texte, in denen Aussagen von oder Geschichten über Jesus enthalten waren. Einige davon waren aber nur in bestimmten Gegenden wichtig. Andere waren für die Gemeinden, die darin gelesen haben, nicht hilfreich. So kam es, dass im Laufe der ersten Jahrhunderte ein paar bestimmte Briefe und Berichte übrig blieben, die immer wieder in den christlichen Gemeinden gelesen und gelehrt wurden. Irgendwann im 4. Jahrhundert haben einige Christen diese Sammlung, die sich in den Gemeinden durchgesetzt hatte, zum offiziellen „Neuen Testament" erklärt. Seitdem gilt diese Zusammenstellung als verbindlich.

Die Autoren der Bücher des Neuen Testaments sind hauptsächlich Jünger von Jesus. Viele Briefe sind von Paulus geschrieben worden. Der hatte zwar Jesus, als er auf der Erde war, nicht persönlich kennengelernt. Aber Jesus erschien ihm persönlich in einer Vision. Später hat Paulus durch Petrus und die anderen viel erfahren und konnte so auch entsprechend viel weitergeben. So ist das Neue Testament, wie es uns heute vorliegt, entstanden.

Für heute grüße ich dich herzlich dein
Harry

Yannick, 12

Wie kann man sich denn auf das verlassen, was in der Bibel steht? Was Jesus erlebt und gesagt hat, wurde doch erst sehr viel später aufgeschrieben. Wurde da nicht manches falsch festgehalten? Man kann das doch heute gar nicht nachprüfen.

Lieber Yannick!

Du hast recht: Man muss sich auf das, was in der Bibel steht, verlassen können. Die Meinungen über die Echtheit der Bibel und der Aussagen von Jesus gehen in der Theologie auseinander. Die einen zweifeln zunächst einmal alles an, was nicht durch Texte außerhalb der Bibel belegt ist. Die anderen gehen davon aus: Die Bibel ist „Gottes Wort", und deshalb ist es Gott selbst, der dafür sorgt, dass keine Lügen in der Bibel stehen.

Ich gehöre zu der zweiten Sorte von Menschen, auch wenn ich mich natürlich freue, wenn ich mitbekomme, dass hin und wieder auch Nachweise dafür gefunden werden, dass die Aussagen der Bibel echt sind. *Ich glaube, Gott würde nicht zulassen, dass wichtige Aussagen über ihn und über Jesus verloren gehen.* Immerhin hat Jesus einmal gesagt: „Himmel und Erde werden vergehen, aber meine Worte vergehen nicht; sie bleiben gültig für immer und ewig" (Matthäus 24,35).

Noch eine Anmerkung zu deiner Frage: Die Geschichten von Jesus sind nicht erst „sehr viel später aufgeschrieben" worden, wie du vermutest. Die ersten schriftlichen Fixierungen existierten schon zwei Jahrzehnte nach der Auferstehung von Jesus. Bis dahin wurden die Reden und Erlebnisse von Jesus mündlich weitergegeben. Nun musst du dir das aber anders vorstellen als heute, wo Gerüchte immer spektakulärer weitererzählt werden und sich schon nach drei, vier Ecken derart verfälschen, dass man die ursprüngliche Version kaum wiedererkennt. Damals ging man mit Überlieferungstexten viel genauer und zuverlässiger um. Oft wurden sie im Gottesdienst gesprochen, gelesen oder gesungen. Und da hatten sie natürlich mehr Wert als die

Tratsch-Geschichte von der Nachbarin.
Die ersten Verschriftlichungen gab es
von den Jüngern selbst. Johannes und
Matthäus zum Beispiel sind Jünger von
Jesus gewesen. Und die haben sicher
nicht mutwillig ihre Begegnung mit
Jesus verfälscht.

Jetzt könnte man noch unterstellen,
dass bei all den Abschreibe-Arbeiten im Laufe der Jahrhunderte Fehler aufgetreten sind. Aber gerade da kann man
nachweisen, dass alte Funde von ursprünglichen Handschriften eine
ganz große Übereinstimmung mit den heute vorliegenden Texten haben. Und das ist in der Geschichte der Buch-Überlieferungen wirklich
außergewöhnlich.

Wenn man wollte, könnte man jetzt immer noch Zweifel anmelden.
Man kann so lange an Texten herumkritisieren, bis nachher so gut
wie nichts mehr übrig bleibt. Aber da halte ich es so, wie ich es oben
schon geschrieben habe: Ich vertraue Gott, dass er dafür gesorgt
hat, dass nur das in der Bibel steht, wovon er wollte, dass es darin
steht.

Viel Spaß und viele gute Entdeckungen beim Bibellesen wünscht dir
dein
Harry

Jan, 11

Ist die Bibel nur eine Sammlung von erfundenen Geschichten? Neulich habe ich in der Zeitung gelesen, alles, was in der Bibel steht, sei widersprüchlich und könne wissenschaftlich widerlegt werden. Da stand: „Wie kann es Menschen nur möglich sein, das Unmögliche zu glauben?" Mich beschäftigt das jetzt. Ich glaube an Gott und dass die Bibel wahr ist. Liege ich damit ganz falsch?

Lieber Jan,

ich kann gut verstehen, wie hin- und hergerissen du bist. Ich glaube auch daran, dass die Bibel Gottes Wort ist. Ich glaube daran, dass Gott die Welt gemacht hat. Ich glaube, dass Gott jeden Menschen ganz persönlich gewollt und geschaffen hat und dass der Mensch sich nicht „zufällig" entwickelt hat. Ich glaube, dass Gott uns als sein Gegenüber, als seine Partner gemacht hat, und dass es sein Wunsch ist, zu jedem Menschen eine persönliche Beziehung zu haben, weil er uns liebt. Ich glaube auch, dass es für uns Menschen ein natürliches Problem gibt, diesem Wunsch nach Beziehung nachzukommen. Das Problem ist unsere Schuld. Die trennt uns von Gott. Gott ist ohne Schuld, und wir sind bis zum Hals voller Dinge, die einfach nicht zu Gott passen. Da kann man sich mit guten Taten so sehr anstrengen, wie man will. Ich glaube auch daran, dass Gott seinen Sohn Jesus auf die Erde geschickt hat, der stellvertretend für uns den Tod, die ewige Trennung von Gott, auf sich genommen hat. Jeder, der Jesus vertraut, kann wieder Gemeinschaft mit Gott haben. Und zwar nicht nur hier, sondern ein für alle Mal. Auch nach dem Tod.

Ich glaube all das, obwohl es mir niemand schwarz auf weiß beweisen kann. Ich glaube es, weil ich gute Erfahrungen mit Gott gemacht habe. Ich habe in schweren Zeiten erfahren, wie Gott mich getröstet hat. Ich habe in schwierigen Lagen erlebt, wie Gott geholfen hat, wie er Gebete erhört und mir die richtigen Leute über den Weg geschickt hat. Ich merke, dass es mir guttut, wenn ich mit Gott im Gespräch bin. Ich bekomme Orientierung und Hilfestellung, wenn ich in der Bibel lese. Und wenn viele andere Christen davon erzählen, wie Gott sie durchgetragen hat, wie sie zum Teil auch Heilung oder andere übermenschliche Sachen erlebt haben, dann bestätigt mich das darin: Gott ist da. Jesus lebt. Der christliche Glaube ist richtig. Und deshalb bin ich gern bereit, das „Unmögliche" zu glauben.

Dieses Wissen lasse ich mir von niemandem madig machen. Keine Freunde, Verwandten, Spötter oder Tageszeitungen können mich davon abbringen, darauf zu vertrauen, dass Jesus in mir lebt, mich liebt und verändert und dass ich eines Tages für immer bei ihm sein werde.

Manche Leute suchen nach Widersprüchen in der Bibel. Und manchmal hat man tatsächlich den Eindruck, eine Sache wird an unterschiedlichen Stellen unterschiedlich erzählt. Das meiste klärt sich schnell auf, wenn man sich darüber informiert, wie die einzelnen Aussagen zustande kamen. Was dann noch an Unklarheiten bleibt, ist so klein und unbedeutend, dass man es schon fast vernachlässigen kann.

Die große Linie der Bibel ist nicht widersprüchlich.

Und dann noch was zum Thema Tageszeitungen. Wenn ein Journalist, der nicht an Gott glaubt, etwas über die Bibel und die Wissenschaft schreiben soll, hat er verschiedene Möglichkeiten, sich zu informieren. Wenn er dazu Bücher liest, die die Bibel anzweifeln, kann er sich schon mal zu solchen Kommentaren hinreißen lassen, wie du es beschrieben hast. Im schlimmsten Fall werden die Leute als dumm dargestellt, die die Bibel für wahr halten. Von solchen Sprüchen brauchst du dich nicht einschüchtern zu lassen. Es gibt leider auch immer wieder Leute, die ganz bewusst den christlichen Glauben in die Pfanne hauen wollen. Manche Comedians finden sich besonders dann witzig, wenn sie irgendwas Christliches durch den Kakao ziehen. Das ist schade, aber nicht zu ändern.

Ich wünsche dir, dass du dir deinen wertvollen Glauben an Gott nicht ausreden lässt. Du bist hundertprozentig auf dem richtigen Weg, wenn du Gott ernst nimmst und dich mit ihm beschäftigst.

Gottes Segen dazu wünscht dir dein Harry

Lukas, 12

Könnte man selbst eine Bibel übersetzen?

Lieber Lukas,

die Idee, selbst mal eine Bibel zu übersetzen, finde ich gut, aber nicht ganz so einfach umzusetzen. Martin Luther und all die anderen, die die Bibel vom Hebräischen oder Aramäischen (Altes Testament), vom Griechischen (Neues Testament) oder aus dem Lateinischen (mittelalterliche Version) übersetzt haben, haben viele Jahre dafür gebraucht. Und um eine Bibel selbst übersetzen zu können, muss man die Sprachen, aus denen heraus man die Bibel ins Deutsche übersetzen will, schon gut kennen.

Aber im Grunde kann jeder, der will, eine eigene Bibelversion übersetzen. Wenn man als Leser dann entscheiden soll, welche Bibelübersetzung für einen selbst die richtige ist, muss man schon ein bisschen vergleichen. Die einen übersetzen fast wörtlich, dafür ist der Text

beim Lesen schwerer zu verstehen. Die anderen übersetzen so, dass man es besser verstehen kann; dafür ist der Text nicht Wort für Wort übersetzt, sondern eher sinngemäß. Da muss man einfach selbst schauen, welche Art einem mehr zusagt.

Neuerdings gibt es sogar eine eigene Bibelübersetzung für Kinder, die sogenannte „Einsteigerbibel". Das heißt, da sind die Sätze noch kürzer und leichter zu lesen. Schwierige Begriffe werden am Rand erklärt. Du siehst: Die Ideen, die Bibel immer wieder neu und anders zu übersetzen, gehen nicht aus.

Wenn du für deine Freunde eine Bibel übersetzen willst, die besser verständlich ist, versuch doch zuerst mal, ein einzelnes Buch der Bibel (zum Beispiel das Buch Lukas) aus einer deutschen Übersetzung so zu schrei-

ben, dass auch Menschen den Text kapieren, die sonst nicht in der Bibel lesen. Das wäre doch schon mal ein Anfang. Und das wäre auch so was wie eine Bibel-Übersetzung: vom Bibelsprachendeutsch ins Kann-ich-verstehen-Deutsch.

Aber wie auch immer – auf die Urfassung der Bibel gibt es keine eingetragenen Rechte. Jeder, der will, kann sich die Bibel sozusagen selbst übersetzen.

Dann wünsche ich dir also weiterhin viel Spaß beim Bibel-Lesen, Bibel-Verstehen und Bibel-Weitergeben!

Dein Harry

Alina, 12

Was glaubst du, wie die Welt wirklich entstanden ist? In Millionen von Jahren? Sind die Tagesangaben in der Schöpfungsgeschichte nur symbolisch gemeint? Oder waren es wirklich sechs Tage? Wenn ja, wie ist alles so schnell abgelaufen? Hat der Dino dann mit den Menschen gelebt?

Liebe Alina,

die Frage, woher unsere Welt kommt, wer dahintersteckt und wann das alles angefangen hat, beschäftigt die Menschen im Grunde schon, seit es sie gibt. Aus vielen Ländern dieser Erde sind Geschichten über die Entstehung der Welt überliefert. Menschen versuchten damit vor vielen Hundert Jahren, sich zu erklären, wie die Natur, der Himmel, die Sterne, wir Menschen entstanden sein könnten. Die meisten dieser Erzählungen handeln von verschiedenen Göttern, die auf unterschiedliche Weise unsere Welt geschaffen haben.

Für uns Christen ist die Bibel die Grundlage unseres Glaubens. Wir gehen davon aus, dass das, was Gott uns über sich, den Menschen und die Welt mitteilen möchte, in diesem Buch aufgeschrieben ist. Die erste Erzählung in der Bibel handelt davon, wie der Gott, an den wir glauben, die Welt erschaffen hat. Er hat sie nicht geknetet, nicht aus einem Ur-Riesen geformt. Er hat einfach gesprochen. Und dann entstand das, was er gesagt hat: Licht, Dunkelheit, Himmel, Erde, Land, Meer, Sonne, Mond und Sterne, Pflanzen, Tiere und schließlich die Menschen. Laut Bibel brauchte er dafür sechs Tage. Am siebten Tag hat er sich ausgeruht.

Heute suchen Wissenschaftler nach Spuren in der Natur, die Hinweise darauf geben, wie die Welt und das Universum entstanden sein könnten und wie alt die Erde vielleicht ist. Sie suchen und forschen, beobachten und rechnen. Dabei kommen sie zu dem Ergebnis, dass unser Universum viele Milliarden Jahre alt ist. Ihren Berechnungen nach gab es vor etwa 500 Millionen Jahren die ersten Fische. Vor 65 bis 200 Millionen Jahren ungefähr haben die Dinosaurier gelebt. Der Mensch entstand nach dieser Theorie erst vor etwa zehn- bis zwanzigtausend Jahren.

Das sind ja ganz andere Zahlen als die sechs Tage in der Bibel. Wie sollen wir, die wir die Bibel ernst nehmen, das zusammenbringen?

Dazu müssen wir uns automatisch fragen: *Wie sollen wir den Schöpfungsbericht sehen?* Ist er ein Tatsachenbericht? Will er uns sagen: Genau so und nicht anders ist die Welt entstanden? Oder ist er eher ein Glaubensbekenntnis? So eine Art Gedicht, in dem jemand ausdrücken wollte: Wie auch immer die Welt entstanden ist – Gott steckt dahinter? Darüber gehen die Meinungen auseinander. Auch bei Christen.

Es gibt Christen, die sagen: Die Bibel ist Gottes Wort; darum verlassen wir uns darauf, dass alles, was darin aufgeschrieben ist, wörtlich zu nehmen ist. Nach dieser Auffassung ist unsere Welt in sechs Tagen mit je 24 Stunden entstanden. Ganz genau so, wie es in der Bibel steht. Und wenn Gott an Tag fünf alle Vögel und Fische erschaffen hat und an Tag sechs alle Landtiere und obendrein die Menschen, dann haben Dinosaurier und Menschen tatsächlich gleichzeitig gelebt. Christen, die den Schöpfungsbericht wörtlich verstehen, stimmen mit dem, was die Wissenschaftler über die Millionen von Jahren dauernde Entstehung der Erde sagen, nicht überein.

Es gibt christliche Wissenschaftler, die in der Natur sogar Hinweise dafür finden, dass die Erde in Wirklichkeit gar nicht viele Milliarden Jahre alt ist, sondern weniger als zehntausend. Danach könnten die Dinos und die ersten Menschen tatsächlich gemeinsam gelebt haben. Bis jetzt hat man aber noch keine Knochen ausgegraben, die das bestätigen würden.

Andere Christen sagen: Die Bibel erzählt uns von Gott, aber sie ist kein Wissenschaftsbericht. Sie benutzt Bilder und Vergleiche, um deutlich zu machen: Diese Welt ist nicht zufällig von alleine entstanden. Sie ist von Gott erschaffen wollen. Er hat ihr die Note „sehr gut" gegeben. Und er hat die Menschen nicht einfach so entstehen lassen, sondern ganz bewusst als Gegenüber geschaffen. In diesem Fall sind auch die sechs Tage nicht wörtlich zu nehmen, sondern Teil einer Erzählung, die Gott als Schöpfer lobt. Mit dieser Einstellung kann man sich die Ergebnisse der Wissenschaftler gelassen anschauen, weil sie in diesem Fall gar nicht der Bibel widersprechen. Sondern das eine ist die Forschung und das andere ist der Glaube.

Wieder andere nehmen den Schöpfungsbericht zwar als Grundlage für die tatsächliche Entstehung der Welt, aber sie sagen: Die aufgezählten sechs Tage sind nur symbolisch gemeint. Dann wären es nicht sechs Tage nach unserer Zeitrechnung (mit jeweils 24 Stunden), sondern sechs Zeitabschnitte. Und die könnten ja durchaus auch tausend oder Millionen Jahre dauern. Immerhin steht an einer anderen Stelle der Bibel: „Für dich sind tausend Jahre wie ein Tag" (Psalm 90,4). Daraus kann man schließen, dass Gott eine andere Zeitrechnung hat. In diesem Fall könnte die Welt in der Reihenfolge entstanden sein, wie es in der Bibel steht und wie es die Wissenschaftler herausgefunden

haben: dass die ersten Tiere (zum Bei-
spiel die Dinos) viel, viel früher als die
Menschen gelebt haben. Aber eben
von Gott geschaffen. Dann wäre die
Schöpfungsgeschichte gleichzeitig ein
Entstehungsbericht und ein Glaubens-

bekenntnis, das deutlich macht: Schaut her, wir glauben
nicht, dass alles von allein entstanden ist oder dass es vielleicht
sogar unterschiedliche Götter gibt. Sondern wir glauben, dass Gott
höchstpersönlich die Welt geschaffen hat.

Meine Meinung bezüglich der Schöpfung ist: Gott hat die Welt geschaffen, so wie sie ist. Es ist nichts durch Zufall „entstanden" oder
hat sich einfach „weiterentwickelt". Darum ist auch der Mensch keine
„Entwicklung" aus einem Einzeller, sondern Gott hat ihn erschaffen.
Ja, und den Knochenfunden nach zu urteilen hat Gott auch Tiere
erschaffen, die es heute nicht mehr gibt.

Wann genau das alles gewesen ist, wie viele Jahre das nun wirklich
gedauert hat, das weiß ich nicht.

Mein Vertrauen zu Gott hängt nicht davon ab, ob die sechs Schöp-
fungstage sechs wirkliche Tage waren oder nicht. Ich weiß, Gott
könnte die Welt locker in sechs Tagen schaffen. Gott ist Gott. Er kann
alles. Er hätte sie auch in sechs Sekunden machen können. Er hätte
sich aber auch viel Zeit lassen können. Und wenn das Ganze eben
sechs Milliarden Jahre gedauert hat, finde ich Gott immer noch großartig und mächtig. An dieser Frage sollen sich diejenigen Leute die
Zähne ausbeißen, denen das ganz wichtig ist. Mir reicht es zu wissen:
Gott ist jetzt, heute, bei mir und begleitet mich.

Dein Harry

Florian, 11

In 1. Mose 1,3 steht: „Da sprach Gott: ‚Licht soll entstehen!', und sogleich strahlte Licht auf." In 1. Mose 1,16 steht: „Gott schuf zwei große Lichter, die Sonne für den Tag und den Mond für die Nacht, dazu alle Sterne." Welches Licht hat Gott am ersten Tag gemacht, wenn er erst am vierten Tag die Sonne erschaffen hat?

Lieber Florian,

zunächst einmal die Enttäuschung: Weil ich nicht selbst (und auch kein anderer Theologe) dabei gewesen bin, als Gott die Welt gemacht hat, kann ich dir keine hundertprozentige Antwort geben.

Was ich aber eindeutig sehe: Es gibt auch Lichtquellen außerhalb der Sonne. Okay, für uns ist die Sonne die Hauptlichtquelle. Aber eben nicht die einzige (da gibt es zum Beispiel Feuer, Blitze, Glühwürmchen, Licht durch Elektrizität). Nein, ich denke nicht, das Licht des ersten Schöpfungstages sei von Glühwürmchen gekommen! Aber ich meine, es ist für Gott ein Leichtes, es um die Erde herum hell werden zu lassen, ohne dass er dafür die Sonne braucht. Gott hat ja nicht gesagt: „Die Sonne soll aufgehen", sondern: „Licht soll entstehen!" Wir Menschen, die wir nur die Sonne kennen, verbinden damit natürlich sofort die Sonne. Aber dem Schöpfungsbericht nach zu urteilen hing das erste Licht nicht von der Sonne ab.

Falls dich die theologische Deutung noch interessiert, die geht ungefähr so: Alles Leben auf der Erde ist von Licht abhängig. Ohne Licht kann kein Leben entstehen. Genau genommen besteht Licht ja nicht nur aus der chemischen Zusammensetzung der Sonnenstrahlen, sondern in ihm steckt ja auch ganz viel, das sich auf unsere Seele auswirkt: Licht macht fröhlich, Licht gibt Orientierung, Sicherheit und so weiter. Mit Dunkelheit verbinden wir gleichzeitig auch Geheimnistuerei, Lüge, Angst, Grusel – die Filmwelt nutzt das ja total aus: Die finsteren Bösen halten sich meistens im Dunkeln auf. Mit Licht verbindet man genau das Gegenteil: das Gute, Helle, Freundliche.

Und jetzt zur Schöpfung: Gott selbst ist das Licht. Gott trägt all die guten Dinge in sich: Liebe, Sicherheit, Ehrlichkeit, Offenheit. Bevor Gott also irgendwas auf dieser Erde macht, muss das lebensspendede Licht da sein. Dieses Licht kommt direkt von Gott. Ohne Gottes Licht kann nichts entstehen, nichts leben.

Der Schöpfungsbericht-Schreiber hat damit, dass er die Sonne erst am vierten Tag nennt, auch deutlich gemacht: Nicht die Sonne gibt uns das Leben, sondern Gott. Die Sonne ist ja selbst Teil der Schöpfung und kann nicht die Erde erschaffen.

Simon, 12

Mir fällt es leichter, an die Wissenschaft zu glauben, als an Gott oder die Schöpfungsgeschichte der Bibel. Die Wissenschaft forscht und macht Experimente. Das erscheint mir logisch. Die Bibel wirkt auf mich wie ein uralter Zeitungsbericht, in dem die Vorstellungen aus der damaligen Zeit notiert wurden. Wie siehst du das?

Lieber Simon,

du hast einen ganz wichtigen Unterschied zwischen der Wissenschaft und der Bibel herausgestellt: Die Wissenschaft will durch Versuche und Beobachtungen herausfinden, wie diese Welt funktioniert und was wir daraus lernen können. Das tut die Bibel nicht. Sie erzählt, was Menschen mit Gott erlebt haben und warum wir Gott unser Leben anvertrauen können. Auch ohne Experimente.

Aber gerade da, wo die Wissenschaft nach Antworten sucht, zu denen auch die Bibel etwas sagt, kommt es oft zu Streit. Manche Christen werden unsicher und fragen: Wer hat denn nun recht?

Im Fall der Entstehung der Welt gibt es ein kleines Problem: Die Wissenschaft versucht im Normalfall, Dinge zu erklären, die immer gleich ablaufen und die man in einem Experiment jederzeit wiederholen kann: Warum fallen alle Gegenstände, die man loslässt, auf den Boden? Warum wird eine Büroklammer von einem Magneten angezogen? Welche Kräfte stecken in der Erde oder in dem Magneten? Und so weiter.

Die Entstehung der Welt kann man aber nicht wiederholen. Wenn man wissenschaftlich etwas darüber sagen will, muss man sich die Erde, die Steine, die Fundstücke aus der Erde anschauen, vergleichen und überlegen, was das bedeuten könnte. Alles, was man dabei herausfindet, sind Überlegungen. Theorien: *„So könnte das gewesen sein."* Die klingen teilweise ganz logisch. Und je mehr man in der Natur findet, was zu der eigenen Theorie passt, umso sicherer ist man sich in seiner Erklärung. Trotzdem ist das kein Beweis. Denn manchmal findet ein Wissenschaftler etwas heraus, das überhaupt nicht zu der bisherigen Annahme passt. Dann muss man weiterüberlegen. Bis alles wieder zusammenpasst. Oder bis jemand eine ganz andere Theorie hat, in der alles, was man bisher herausgefunden hat, mit den neuen Erkenntnissen doch wieder zusammenpasst. Aber ganz sicher kann man sich nie sein. Denn keiner war dabei, als die Welt entstanden ist. Und man kann das Ganze nicht wiederholen und filmen und anschließend sagen: „Siehste, so war das!"

Erst recht kann niemand erklären, woher das alles kommt und wo der Anfang des Ganzen ist. Die Sache mit dem „Urknall" ist der Erklärungsversuch für die Entstehung unseres Universums, wie wir es heute vorfinden. Dass es in Millionen von Jahren viel Zeit und Zufall brauchte, damit sich in einer leblosen Masse irgendwann lebendige

Teilchen bildeten, aus denen sich dann wieder mit viel Zeit und Zufall erste Lebewesen entwickelten und daraus schließlich sämtliche Arten dieser Erde, ist auch der Versuch einer Erklärung. Aber das alles sind Theorien. Das heißt: Es gibt Hinweise im Weltall und auf der Erde, die diese Ideen bestätigen: „Ja, das könnte tatsächlich so gewesen sein." *Aber einen sicheren Beweis dafür hat man nicht.*

Natürlich stellen die Wissenschaftler all ihre Theorien auf, ohne Gott einzubeziehen. Das ist auch nicht deren Aufgabe. Ein Arzt würde einem Patienten auch nicht sagen: „Gott hat Ihr Fieber geheilt." Er würde ganz nüchtern erklären: „Weil Sie sich ausgeruht und viel geschlafen und getrunken haben, konnte der Körper seine eigenen Abwehrkräfte einsetzen und das Fieber senken. Außerdem hat dieses und jenes Medikament dies und das im Körper bewirkt und das hat Ihre Heilung beschleunigt." Der Arzt erklärt also, was wissenschaftlich im Körper vorgeht. Und der Christ findet, Gott hat geholfen. Wer von beiden hat recht? Ich denke, beide haben recht, aber sie erklären es aus unterschiedlichen Blickwinkeln. Schlaf und Trinken und bestimmte Medikamente helfen. Aber letztlich ist es Gott, der dahintersteckt.

So ähnlich kannst du dir das mit den wissenschaftlichen Berichten zur Entstehung der Welt vorstellen: *Ja, es könnte sein, dass vieles von dem, was die Forscher herausfinden, tatsächlich so war.* Trotzdem finde ich es schwierig, über die Entstehung der Welt nachzudenken, ohne Gott einzubeziehen. Dass alles von ganz alleine durch Zufall entstanden ist, kann ich mir nur schwer vorstellen. Dass aus einer „schleimigen Suppe" Leben entsteht und sich ohne Hilfe von außen zum Besseren entwickelt, ist für mich unmöglich. Ich kann auch nicht glauben, dass sich von ganz alleine aus einem kleinen Einzeller im Wasser alle Lebewesen gleichermaßen entwickelt haben sollen: Katzen, Mäuse, Schildkröten, Ratten, Spinnen, Tintenfische – und obendrein Menschen, die nachdenken, lieben und nach dem Sinn des Lebens fragen können.

Ich finde, das geht nicht. Ohne jemand Schlaues von außen, der das Ganze lenkt und steuert, kann nicht aus nichts so eine wunderschöne Welt werden, über die wir nur staunen und uns freuen können. Ohne dass jemand etwas dafür tut, entwickelt sich nichts zum Besseren. Ein Zimmer räumt sich nicht von alleine auf, auch nicht nach Milliarden von Jahren.

Was ich damit sagen will: *Für mich ist es entscheidend, wer hinter der ganzen Sache steht.* Und darauf gibt die Bibel eine Antwort: Es war Gott. Gott ist der, der die Welt erschaffen hat und der jedes einzelne Lebewesen verantwortet, auch dich und mich.

Das kann natürlich niemand nachweisen, kein Forscher, kein Wissenschaftler, kein Pfarrer. Das muss man der Bibel einfach glauben oder nicht.

Mir als Christ ist wichtig: Wenn wirklich Gott dahintersteckt und wenn er die Welt nicht nur aus einer Laune heraus erschaffen hat, dann hat er etwas Bestimmtes damit vor. Und wenn er uns Menschen (als den einzigen Lebewesen überhaupt) die Fähigkeit gegeben hat, mit ihm – dem Schöpfer – Kontakt aufzunehmen, dann sollten wir ihm doch wenigstens eine Chance geben. Oder meinst du nicht?

Viel Spaß beim Weiterentdecken wünscht dir

dein

Harry

Louis, 10

Wenn man an Gott glaubt, soll man dann glauben, dass die Wissenschaft lügt? In der Bibel steht zum Beispiel nichts von Dinosauriern. Wissenschaftler sagen aber, dass es Dinosaurier gegeben hat.

Lieber Louis,

wo Bibel und Wissenschaft in ihren Berichten auseinandergehen, darauf bin ich in den Antworten zu den letzten Fragen schon eingegangen. Dass einer von beiden „gelogen" haben sollte, nur weil im Schöpfungsbericht der Bibel keine Dinosaurier erwähnt werden, denke ich nicht. Dass Dinos nicht extra aufgezählt werden, bedeutet doch nicht, dass sie nicht da waren, oder?

Gott hat noch Millionen anderer Tiere geschaffen, die alle nicht namentlich erwähnt werden. Die Bibel ist kein Biologie-Buch. Was die Bibel mit dem Schöpfungsbericht sagen will, ist: Die Welt ist nicht von allein entstanden. Es war Gottes Idee. Und er gab der Welt die Note „sehr gut"! Damit verbunden ist gleichzeitig der Auftrag: Wir Menschen sollen Gottes Welt gut behandeln und verantwortlich vor Gott damit umgehen. Um das deutlich zu machen, muss man nicht unbedingt Dinosaurier aufzählen. Richtig?

Übrigens: In Hiob 40,15-24 wird ein großer Pflanzenfresser erwähnt, der in einigen Bibelübersetzungen „Behemot" genannt wird. In Hiob 40,25–41,26 wird ein riesiges gepanzertes Tier mit Rückenschilden beschrieben, das in einigen Bibeln „Leviatan" heißt. Es gibt Leute, die hier die Beschreibung von Dinosauriern erkennen. Wenn du willst, lies dir diese Stellen mal durch. Klingt zumindest spannend.

Alles Gute und herzliche Grüße

dein

Tim, 13

Als die Bibel geschrieben wurde, wussten die Menschen noch nicht viel über die Erde, hatten aber schon Fragen wie: „Woher kommen wir?" Ich glaube nicht an Gott, diese Erklärung ist mir zu einfach. Ist die Schöpfungsgeschichte nicht längst überholt? Sie gibt doch nur Antworten, die für die damalige Zeit gut waren. Und wie kann es sein, dass der Mensch als „Krone der Schöpfung" bezeichnet wird, wo wir Menschen doch so dumm sind, die Welt zu zerstören, in der wir leben?

Lieber Tim,

der größte Unterschied zwischen uns beiden ist, dass ich an Gott glaube und du nicht. Deshalb werden wir immer die gleichen Dinge unterschiedlich betrachten und auch unterschiedlich bewerten. Von daher kann es sein, dass du meine Sicht, die ich dir jetzt schildere, gar nicht nachvollziehen kannst, weil Gott in deinen Vorstellungen nicht vorkommt.

Du hast vollkommen recht: Die Bibel, besonders das erste Buch Mose, ist kein Geschichtsbuch, das uns eins zu eins die genaue Erd-Entwicklung mitteilen will. Die Menschen damals wussten ja noch nichts von Erddrehung, von Klimazonen, vom Sonnensystem, geschweige denn davon, dass die Erde eine Kugel ist, die sich um die Sonne dreht. Diese wissenschaftlichen Details hätte damals keiner kapiert und es hätte auch niemandem geholfen. Was die Menschen aber kapiert haben: Zuerst war gar nix da. Nichts. Außer Gott. Der war schon immer. Und es war nicht ein zufälliger

Zusammenstoß von Molekülen, sondern Gottes Entscheidung, Licht, Wasser, Erde, Luft zu schaffen und darin zunächst Pflanzen, dann Fische, dann Vögel, dann Landtiere und zum Schluss Menschen zu machen.

Wie du schon sagst: Die Frage „Wo komme ich her?" steckt schon immer im Menschen. Und die Bibel gibt die Antwort: „Alles kommt von Gott. Jedes Leben kommt von Gott. Auch der Mensch, jeder einzelne Mensch, ist ein genialer Gedanke von Gott." *Diese Aussage hat sich bis heute nicht verändert, finde ich.*

Der Mensch als „Krone der Schöpfung", also das Beste, was Gott gemacht hat? Ja, manchmal zweifle ich auch daran. Aber die „Krönung" des Menschen liegt ja nicht darin, dass er so nett oder friedliebend wäre. Gott hat den Menschen wenig niedriger als sich selbst geschaffen (Psalm 8,6). Im Schöpfungsbericht sagt Gott: „Nun wollen wir Menschen machen, ein Abbild von uns, das uns ähnlich ist" (1. Mose 1,26). *Der Mensch gilt also deshalb als „Krone", weil er Gott ähnlich ist.* Wir können Gut und Böse unterscheiden und Entscheidungen treffen, haben Verantwortungsbewusstsein und außerdem die Fähigkeit, zu bewahren und zu ordnen.

Du sagst, das ist dir alles zu einfach. Ich finde, wenn jemand einen anderen liebt, ist das immer sehr einfach. Aber gleichzeitig auch sehr kompliziert und mit ganz vielen Höhen und Tiefen verbunden. Und so ist das auch mit Gott. Er liebt uns ungemein. Das ist sehr einfach. Und er will uns nahe sein und das Leben mit uns verbringen. Nicht nur dieses, sondern auch das danach. Und das ist auch einfach. So einfach, dass man es „nur" zu glauben braucht. Schade, dass das vielen Leuten zu einfach ist.

Ich wünsche dir jedenfalls von Herzen, dass du deine Suche nach dem Woher und Wohin der Menschen noch lange nicht aufgibst.

Dein Harry

Chiara, 13

Wir bearbeiten in der Schule momentan das Thema „Evolution". Da ich aber überzeugte Christin bin und daran glaube, dass Gott mich geschaffen hat, ist das ziemlich schwierig für mich! Außerdem bin ich die Einzige in der Klasse, die an Gott glaubt. Was würdest du mir raten, wie ich mich in der Schule in diesem Fall verhalten soll?

Liebe Chiara,

ich kann deine Sorge gut verstehen. Mit dem Thema „Schöpfung oder Evolution" schlagen sich alle christlichen Schüler irgendwann einmal herum, und viele stehen dabei vor der gleichen Frage wie du.

Nun willst du wissen, wie du dich in der Schule verhalten sollst, wenn dieses Thema drankommt. Ich weiß ja nicht, wie du drauf bist. Sagst du auch sonst gern mal deine Meinung? Dann kannst du auch hier sagen, dass es vom Lehrer fair wäre zu erwähnen, dass es sich bei den wissenschaftlichen Ausführungen auch nur um Theorien handelt. *Denn dass sich alles genau nach der Evolutionstheorie abgespielt hat, kann man nicht mit letzter Gewissheit sagen.* Auch die Methoden zur Altersberechnung der Erde sind nicht hundertprozentig sicher. Andere Messungen kommen zu ganz anderen Ergebnissen. Und jeder, der sich ernsthaft wissenschaftlich mit dem Thema Evolution befasst, wird zugeben, dass eine Theorie, die man aufgestellt hat, immer wieder korrigiert werden muss. Wenn man zum Beispiel etwas Neues herausfindet oder ausgräbt, das nicht zu den bisherigen Erkenntnissen passt, muss man die bisherige Theorie noch mal an bestimmten Stellen überarbeiten. Ich meine damit: Auch das, was in der Schule als Wissenschaft behandelt wird, ist niemals abgeschlossen. Man kann nur von einem „derzeitigen Wissensstand" sprechen. Niemand kann sagen: „Genau so war es." Das müsste auch ein Lehrer der Fairness halber eingestehen.

Es kann sein, dass dein Lehrer das nicht einsieht. Dann stellt sich für mich die Frage, ob es sich lohnt, mit ihm einen Streit anzufangen. Du

musst ja nicht sagen: „Es ist alles falsch, was Sie sagen!" Es reicht ja, wenn man darauf hinweist, dass auch die Evolutionstheorie eben nur eine Theorie ist. Die lässt sich nicht mit einem Experiment im Labor wiederholen und dadurch beweisen.

Wenn du eher ein stiller Typ bist, dann würde ich mich auch in diesem Fall nicht unbedingt einmischen. Dann würde ich dir empfehlen: Hör dir alles in Ruhe an. Manches ist sogar ganz interessant. Und dann sprich mit deinen Eltern, deinen Mitarbeitern in der Gemeinde oder anderen Christen darüber und frag sie, was sie dazu denken. Es ist immer gut, wenn man mehrere Ansichten zu einem Thema hört. Dann kannst du sicher die Lehrmeinung in deiner Schule auch besser einordnen. Für die Klassenarbeit solltest du lernen, was die Lehrer wissen wollen. Aber wenn nach deiner Meinung gefragt wird, kannst du ja schreiben: „Ich persönlich glaube nicht, dass sich alles durch Zufall entwickelt hat. Ich glaube, dass es einen Gott gibt, der alles geschaffen hat, der mein Leben begleitet und der mich so gemacht hat, wie ich bin. Ich glaube, dass Gott mich als eigenständiges Geschöpf geschaffen hat und mich so liebt." Oder so ähnlich.

Dasselbe kannst du auch sagen, wenn du nach deiner Ansicht gefragt wirst. Aber wenn du sonst eher ein stiller Typ bist, musst du nicht urplötzlich zum großen Redner werden.

Für heute grüße ich dich herzlich
und wünsche dir starke Nerven für die Schule!

Dein Harry

Lisa, 12

Leben wir schon in der Endzeit? Wo stehen wir laut Offenbarung? Müsste das Ende der Welt nicht bald kommen? Ich denke da an die Klimaveränderungen und all die Kriege.

Liebe Lisa,

die Bibelstellen, in denen vom Ende der Welt die Rede ist, lassen manche sehr nachdenklich werden. Was, wenn es schon bald mit der Welt zu Ende geht? In der Tat gibt es auch außerhalb christlicher Kreise Klimaforscher, Geologen und andere Wissenschaftler, die Anzeichen dafür veröffentlichen, dass sich unsere Welt nicht mehr allzu lange am Leben hält.

Andererseits: *Das Ende der Welt kommt nicht zu einem Zeitpunkt, den Wissenschaftler berechnen.* Das Ende kommt auch nicht an einem Datum, das irgendwelche schlauen Bibelleser anhand der Bibel auszurechnen versuchen. Das Ende der Welt ist dann, wenn Gott es für richtig hält. Darum würde ich dir raten, das Buch der Offenbarung nicht wie einen Kalender zu sehen, auf dem man abhaken kann, was schon eingetreten ist und wo wir uns gerade befinden.

In seinem Buch der Offenbarung hat Johannes beschrieben, was Jesus ihm in Visionen gezeigt hat. Hauptsächlich handelt es sich dabei um Ankündigungen für Gemeinden, die Jesus nachfolgen wollen. In einigen Kapiteln beschäftigt sich Johannes auch mit dem „Ende der Welt", also mit der Frage: Was geschieht, wenn Jesus wiederkommt? Aber auch diese Stellen sind kein „Drehbuch", in dem alle Ereignisse in genau der richtigen Reihenfolge aufgelistet sind. Vieles sind Bilder und Vergleiche, die mit unseren menschlichen Worten Dinge ausdrücken wollen, die wir Menschen eigentlich weder beschreiben noch verstehen können.

Deshalb: Lies die Offenbarung nicht wie einen Sience-Fiction-Roman oder ein gruseliges Zukunfts-Buch, sondern wie einen *Mutmach-Brief an alle Christen,* die sich danach sehnen, einmal mit Jesus in der Ewigkeit zusammen zu sein.

Wann ist „Endzeit", hast du gefragt. Jesus hat lange Reden über das „Ende" oder den „Anfang vom Ende" gehalten (zum Beispiel in Markus 13,1-37). Er redet von Kriegen, Hungersnöten, Naturkatastrophen, Christenverfolgung und so weiter und fordert seine Jünger auf, gut achtzugeben, denn alles das deutet auf das Ende hin. Andererseits *warnt er auch davor, eine Rechnung aufzustellen,* an welchem Tag genau das denn nun sein könnte oder in wie vielen Jahren. Jesus hat ausdrücklich gesagt: „Den Tag und die Stunde, wann das Ende da ist, kennt niemand, auch nicht die Engel im Himmel – nicht einmal der Sohn. Nur der Vater kennt sie. [...] Darum seid jederzeit bereit; denn der Menschensohn wird zu einer Stunde kommen, wenn ihr es nicht erwartet" (Matthäus 24,36.44).

Gedanken wie: „Ach, das dauert noch ganz lange, jetzt kann ich mich erst noch richtig austoben", oder: „Mit Gott beschäftige ich mich später, jetzt will ich erst mal machen, was ich möchte", sind also nicht angebracht. *Jesus könnte jeden Augenblick wiederkommen.* Deshalb sollten wir ständig so leben, dass es immer okay wäre, wenn er kommt.

Streng genommen leben wir in der Endzeit, seit Jesus zu Gott zurückgegangen ist. Seit Himmelfahrt warten Christen täglich darauf, dass Jesus wiederkommt und sein Reich ganz da ist. Viele haben fest daran geglaubt, sie selbst würden das Ende der Welt miterleben. Mittlerweile sind fast zweitausend Jahre vergangen, und immer hat es Hunger, Krieg, Terror und Ungerechtigkeit gegeben. Trotzdem ist das Ende noch nicht gekommen. Das könnte zu der Einstellung verleiten: „Na ja, dann wird es auch in den nächsten Jahren nicht kommen." Dennoch bleibt die Aussage in Matthäus 24,44 gültig, dass das Ende der Welt überraschend kommt. Jesus fordert uns nach wie vor auf: „Seid bereit!"

Das heißt: Es ist nie zu spät, auch noch große neue Dinge zu tun, zu planen und in Angriff zu nehmen. *Es gibt immer noch viel Arbeit für uns Menschen:* die Umwelt zu schützen, Menschen in Not zu helfen, andere zum Glauben an Jesus einzuladen, Unterdrückten beizustehen und so weiter. Es gibt keinen Grund, in Panik zu geraten. Wenn Jesus demnächst wiederkommen sollte, hören alles Leid, Krieg, Hunger, Streit und alles Böse auf. Alle, die zu Jesus gehören, werden für immer mit ihm zusammen sein. Und wenn Jesus erst in hundert Jahren wiederkommen sollte, haben wir noch genug Zeit, andere auch zu einem Leben als Christ einzuladen.

Ich hoffe, du hast dadurch keine Angst, sondern eher Ermutigung bekommen! Sei herzlich gegrüßt von Harry

Laura, 12

Warum ist das Leben manchmal so ungerecht? Warum gibt es so viel Armut auf dieser Welt? Manche Menschen sind so reich und geben nichts von ihrem Geld ab. Warum lässt Gott das zu?

Liebe Laura,

die Frage hast du zum Teil schon selbst beantwortet. Es gibt so viele arme Menschen, weil es so viele reiche Menschen gibt, die nichts oder viel zu wenig von ihren Sachen abgeben. Dabei gibt es auf der Welt genug zu essen für alle.

Warum Gott das zulässt, ist eigentlich nicht die richtige Frage. Denn *Gott hat eine Menge dafür getan, dass es gerechter zugehen kann.* Er hat vielen Menschen genug Geld und Essen gegeben, um zu teilen (unter anderem uns, auch dir und mir). Und er hat uns einen Sinn für Gerechtigkeit geschenkt – so kam es ja, dass du das selbst als ungerecht empfindest. Gott hat den Reichen schon immer gesagt: „Versorgt die Armen!" (zum Beispiel in Jesaja 58,7). Dass viele trotzdem alles für sich behalten, ist nicht Gottes Schuld, sondern die Schuld der Reichen. Die Frage sollte deshalb nicht lauten: „Warum lässt Gott das zu?", sondern: „Warum lassen wir Reichen das zu?"

Wenn du willst, überleg dir doch mal, wie du mit deiner Familie dazu beitragen kannst, einigen armen Menschen zu helfen. Was von deinem Geld, von deinen Spielsachen, von deinen vielen, vielen Dingen brauchst du nicht so unbedingt? Wovon kannst du etwas abgeben? Schon mit 50 Euro im Monat kann ein Kind in einem armen Land zur Schule gehen, ordentliche Kleidung tragen und später einen Beruf ergreifen, um selbst Geld zu verdienen. Und das ist nur eins von tausend Beispielen, wie wir Reichen den Armen helfen können.

Einer allein kann die Welt nicht verändern. Aber wenn die, die es kapiert haben, schon mal damit anfangen, können sie auch andere anstecken und so zur Gerechtigkeit in der Welt beitragen.

Viel Spaß beim Helfen und Unterstützen wünscht dir *dein* *Harry*

Sarah, 11

Wenn Gott alles kann, warum hilft er dann nicht denen, die in Kriegsgebieten leben?

Liebe Sarah,

Gott ist der, der Frieden will. Er hat uns Menschen sogar ausdrücklich dazu aufgefordert, Frieden zu halten und Frieden zu stiften (Matthäus 5,9). Leider richten sich die Leute nicht danach. Immer wieder nutzen Menschen ihre Macht aus und unterdrücken andere. Sie wenden auf grausame Weise Gewalt an, sie führen Kriege. Das tun sie aus freier Entscheidung, obwohl auch sie sicher wissen, dass Frieden besser ist als Krieg. Wenn Menschen so etwas tun, ist das also eigentlich nicht die Schuld von Gott, sondern von denen, die Krieg führen. Oder?

Trotzdem kann Gott dem einzelnen Menschen in dieser kaputten Welt zur Seite stehen. Und immer wieder kommt es vor, dass Familien davon erzählen, wie sie im Krieg von Gott beschützt worden sind. Aber Gott nimmt uns nicht aus der Verantwortung, selbst mit dem Unrecht aufzuhören.

Dass Gott einzelnen Menschen beisteht, ändert auch nichts daran, dass es trotzdem unzählige Familien gibt, die im Krieg leiden oder sogar sterben. Da scheint Gott nicht geholfen zu haben. Das ist schlimm und die Frage nach dem Warum können wir nicht so beantworten, dass wir völlig zufrieden sind.

Diese Welt, in der wir leben, ist leider eine kaputte Welt. Sie ist nicht mehr so, wie Gott sie sich ausgedacht hat. Vieles auf dieser Welt funktioniert zwar gut und passt wundervoll zusammen. Aber vieles ist auch aus den Fugen geraten. Die Erde birgt nicht nur Lebensraum und Schönheit, sondern auch Tod und Gefahren. Gott weiß das und hat mehrfach versprochen, dass er schon dabei ist, einen neuen Himmel und eine neue Erde vorzubereiten, auf der es all das Böse nicht mehr gibt: keinen Krieg, keine Tränen, kein Leid, keine Krankheit, keine Umweltkatastrophen. In dieser Welt dürfen alle leben, die sich ihm heute schon anvertrauen. Solange es die neue Welt noch nicht gibt, sind wir aufgefordert, hier auf dieser Erde Verantwortung füreinander und für die Erde zu übernehmen: indem wir die Umwelt so behandeln, dass noch viele etwas davon haben, und indem wir uns gegenseitig so behandeln, dass wir gern und in Frieden miteinander leben können.

Deine Frage könnte ich ungefähr so beantworten: Gott will denen helfen, die Krieg erleben. Es gibt zum Glück so viele Menschen auf dieser Welt, die eine friedliche Einstellung haben und ein Leben ohne Gewalt vorleben und ausrufen. Aber was kann denn Gott dafür, wenn alle diese Leute sich nicht darum kümmern, was anderen geschieht? Gott braucht Leute wie dich und mich, um denen zu helfen, die ungerecht behandelt werden.

Das nützt denen, die im Krieg sind und jetzt gerade leiden, natürlich nichts. Aber irgendwer muss den Anfang machen. So wie Jesus es getan und vorgelebt hat. Wir, seine Nachfolger, möchten ebenfalls an den Stellen, an denen es uns möglich ist, Frieden stiften und anderen helfen. Wenn wir andere damit anstecken und alle zum Frieden beitragen, wird es in dieser Welt bald anders aussehen.

Außerdem beten viele Christen immer wieder für Menschen im Krieg, damit Gott sie beschützt. Sie beten für Politiker, damit sie Krieg beenden, Frieden schließen und dafür sorgen, dass diese Welt ein besserer Ort wird. Auch dabei kannst du kräftig mitmachen. Gott hat versprochen, unsere Gebete zu hören.

Viel Freude beim Anfangen und Mitmachen wünscht dir

dein

Harry

Finn, 9

Wie kann ich mir den Himmel vorstellen? Wohnt Gott dort?

Lieber Finn,

wenn wir vom Himmel sprechen, meinen wir manchmal unterschiedliche Dinge. Da gibt es zum einen den Himmel, der über uns ist. Da fliegen Flugzeuge, und Wolken ziehen vor sich hin. Zum anderen reden wir vom Himmel, wenn wir den Ort bezeichnen, an dem Gott wohnt. So wie du es in deiner Frage formuliert hast. In dem Gebet, das Jesus seinen Nachfolgern beigebracht hat, beten wir: „Unser Vater im Himmel" (Matthäus 6,9).

Diesen Himmel gab es schon immer, längst bevor Gott

unsere Erde und den Wolkenhimmel geschaffen hat. Er ist eine unsichtbare Welt, in der Gott und seine Engel wohnen. Das ist die Welt, in der auch Jesus war, bevor er zu uns auf die Erde kam, und in der er auch jetzt ist, um für uns Christen eine Wohnung vorzubereiten (Johannes 14,2). Es ist auch der Ort, von dem wir sagen, dass die verstorbenen Menschen dorthin kommen, wenn sie zu Jesus gehört haben. „Du wirst noch heute mit mir im Paradies sein", hat Jesus einem Verbrecher geantwortet, der neben ihm am Kreuz hing und sich wenige Minuten vor seinem Tod Jesus zugewandt hat (Lukas 23,43).

Weil Jesus weiß, wie es im Himmel zugeht, hat er versucht, uns davon zu erzählen. Dazu hat er Bilder und Vergleiche benutzt, die wir verstehen. Denn das, was wir im Himmel einmal erleben werden, wird so großartig und unglaublich sein, dass wir uns das gar nicht richtig vorstellen können. In einem Gleichnis hat Jesus davon erzählt, wie ein Mann, der zu Lebzeiten arm und krank war, nach dem Tod an einem Tisch mit Abraham sitzt und genug zu essen und zu trinken hat (Lukas 16,19–31).

Jesus hat auch viele Gleichnisse vom „Himmelreich" erzählt. So übersetzen es zumindest manche Bibeln. In anderen Bibeln wird hier von „Gottes Herrschaft" oder „Gottes neuer Welt" gesprochen. Dieses Reich ist wie ein Hochzeitsfest, zu dem alle eingeladen sind (Matthäus 22,1-14). Es ist wie ein besonderer Schatz oder eine kostbare Perle, für die man alles hergeben würde (Matthäus 13,44). Oder wie ein Senfkorn, das zuerst ganz klein ist, aus dem aber eine sehr große Pflanze wächst (Matthäus 13,31). Damit ist klar, dass mit diesem „Himmel" eine neue Welt von Gott gemeint ist, die mit Jesus begonnen hat und die sich durch seine Nachfolger immer mehr auf der ganzen Erde ausbreitet. „Das Himmelreich ist nahe herbeigekommen" (Matthäus 3,2), hat Jesus gesagt und sogar: „Schon jetzt, mitten unter euch, richtet Gott seine Herrschaft auf" (Lukas 17,21).

So richtig und endgültig ist Gottes neue Welt da, wenn Jesus am Ende dieser Zeit wiederkommt und hier seine Herrschaft aufrichtet. Das wird eine Welt sein, die von Gott neu geschaffen wird und in der nur Gott regiert. Ein ganz neuer Himmel und eine ganz neue Erde.

Johannes, ein Jünger von Jesus, durfte schon einmal einen Blick in die Zukunft werfen. Das, was er sah, beschreibt er so: „Ich sah einen neuen Himmel und eine neue Erde. Der vorherige Himmel und die vorherige Erde waren nicht mehr da. Ich sah, wie das neue Jerusalem festlich geschmückt aus dem Himmel herunterkam. Eine Stimme sagte: ‚Jetzt wohnt Gott bei den Menschen. Er wird ganz nah bei ihnen sein. Und er wird alle ihre Tränen abwischen. Es wird keinen Tod mehr geben und keine Traurigkeit, keine Klage und keine Quälerei mehr'" (Offenbarung 21,1–4).

Aber auch das sind Beschreibungen, die mit Bildern arbeiten, die wir verstehen können. Im Grunde können wir uns den Himmel, wo wir einmal hinkommen, so vorstellen, dass er das Schönste ist, was wir uns überhaupt denken können.

Trotzdem finde ich es wichtig zu wissen, dass Gott auch heute hier bei uns ist. Er ist da, wo wir mit ihm reden. Er ist da, wo wir auf ihn vertrauen und uns an ihn wenden.

Julia, 12

Ich versuche, mich an die Zehn Gebote zu halten. Trotzdem habe ich Angst, nicht in den Himmel zu kommen! Muss ich noch mehr tun, um in den Himmel zu kommen?

Liebe Julia,

du möchtest gern in den Himmel kommen und weißt nicht, ob das, was du tust, dafür ausreicht. Zu deinem Wunsch, in den Himmel zu kommen, kann ich dir erst mal nur gratulieren. Damit bist du schon weiter als viele andere Leute. Denen sind Gott und der Himmel nämlich völlig egal. Sie glauben, wenn man stirbt, ist alles aus, und dann gibt es sowieso nichts mehr. Du glaubst daran, dass es ein Leben bei Gott gibt. Du glaubst daran, dass man nach dem Tod ganz nah bei Gott sein kann. Das finde ich gut.

Um deine Frage zu beantworten, muss ich ganz vorne anfangen. Ganz, ganz vorne. Bei Adam und Eva.

Ursprünglich – als Gott die Welt und das Paradies gerade ganz frisch gemacht hatte – hat der Mensch zusammen mit Gott gelebt. In ein und demselben Garten. Alles war in Ordnung (1. Mose 1–2). Es gab nur einen Baum, von dem der Mensch nicht essen durfte. Nur ein einziges Gebot. Aber dann hat der Mensch sich dafür entschieden, Gott nicht mehr zu vertrauen. Und er hat dieses eine Gebot gebrochen.

Seitdem leben wir in dieser Welt, die von Gott getrennt ist. Alle Menschen tun immer wieder Dinge, die nicht zu Gott passen. Alle. Auch du, auch ich, auch die nettesten Menschen, die du kennst. Diese Trennung von Gott nennt die Bibel „Sünde".

Die Folge davon, dass wir in dieser von Gott getrennten Welt leben, ist eigentlich, dass wir einmal für immer ganz weit weg von Gott leben müssen. Egal, wie sehr wir uns bemühen, die Zehn Gebote einzuhalten. Wir kommen aus dieser Trennung, der Sünde, nicht von alleine raus.

Und jetzt kommt Jesus ins Spiel. Jesus ist Gottes Sohn. Er kommt aus Gottes Welt, die ohne Sünde ist. Jesus ist ohne Sünde. Und er hat sich trotzdem bestrafen lassen, als ob er voller Sünde wäre. Jesus hat sich von den Menschen töten lassen. Damit hat er die Strafe getragen, die für uns bestimmt wäre. Drei Tage später hat Gott ihn vom Tod auferweckt. Und jetzt gilt eine neue Regel: Alle, die an das glauben, was Jesus getan hat, bekommen diese Strafe nicht mehr. Alle, die Jesus vertrauen, werden nach dem Tod sofort und ohne Umweg in Gottes neue Welt kommen. In den Himmel.

Das kannst du nachlesen, zum Beispiel in Jesaja 53,1-12 (Jesus hat die Schmerzen erlitten, die für uns bestimmt waren), Johannes 3,16 (Alle, die sich auf den Sohn Gottes verlassen, werden ewig leben), Römer 3,21-26 (Alle sind schuldig geworden und werden gerettet, weil

Gott sie begnadigt), 1. Johannes 1,9 (Wer seine Schuld vor Gott bekennt, dem wird Gott vergeben).

Das heißt für dich: Es ist gut, wenn du dich bemühst, die Zehn Gebote einzuhalten. Das hilft dir, gut und sicher durchs Leben zu kommen. Aber einen „Platz im Himmel" sicherst du dir damit nicht. Den hat Jesus dir schon gesichert, indem er für dich gestorben ist. Damals, vor zweitausend Jahren. Wenn du zu Jesus gehörst, wenn du Jesus vertraust und mit ihm redest, dann kannst du dir sicher sein: Du wirst im Himmel bei der großen Party dabei sein.

Auch wenn du in deinem Leben immer wieder Dinge tust, die Gott oder andere beleidigen – du kannst dich Gott anvertrauen. Er wird dich von deiner Schuld freisprechen. Es ist so einfach – sprich mit Gott und danke ihm, dass er alles für dich schon vorbereitet hat. Sag ihm, dass du das, was Jesus getan hat, auch für dich in Anspruch nehmen willst. Sag ihm, dass du dein Vertrauen auf Jesus setzen willst. Und dann gehörst du zu Gottes Familie dazu.

Lass dich ganz herzlich grüßen von Harry

Sofia, 9

Kommen Tiere in den Himmel?

Liebe Sofia,

alle Zusagen in der Bibel, dass
wir einmal ganz nah bei
Gott sein werden, gel-
ten ausschließlich
für Menschen. Das
Versprechen von Je-
sus, dass alle, die ihm
vertrauen, nicht ver-
loren gehen, sondern
ewig leben (Johannes 3,16),
also in den Himmel kommen, gilt nur für Menschen.

In Römer 8,20-21 steht aber, dass alles Geschaffene (also auch die Natur, die Pflanzen, die Tiere) zunächst vergänglich ist und sterben muss, dass alle Geschöpfe aber die Hoffnung haben, eines Tages aus dieser Sterblichkeit befreit zu werden und an der „unvergänglichen Herrlichkeit" teilzuhaben, die auch die Menschen erhalten werden. Ob damit gemeint ist, dass auch Tiere sich in Gottes neuer Welt aufhalten? Gott hat mehrfach versprochen, er wird uns einen neuen Himmel und eine neue Erde schenken (2. Petrus 3,13; Offenbarung 21,1). Da wird alles vollkommen und ohne Leid sein. Wie diese neue Welt genau aussieht und ob darin Tiere vorkommen, wird nicht beschrieben. Auch nicht, ob wir dort unsere verstorbenen Tiere wiedertreffen, die wir hier auf der Erde lieb gehabt haben. Hinweise, dass es so wäre, finden wir leider nicht in der Bibel.

Trotzdem wünsche ich dir, wenn eins deiner Haustiere gestorben ist, dass du es in guter Erinnerung behältst und dass du deine Traurigkeit darüber bald überwinden kannst.

Alles Gute und herzliche Grüße *dein*
Harry

Lara, 12

Mir wird oft gesagt, man kann mit Gott ganz einfach reden. Wenn es mir nicht gut geht, probiere ich es, aber es klappt nicht. Irgendwie antwortet er nicht. Wie kann ich mit Gott reden?

Liebe Lara,

in deiner Frage stecken ja gleich mehrere Fragen auf einmal. Ich will versuchen, eine nach der anderen zu beantworten.

Wie kannst du mit Gott reden? Du hast gehört, dass du „ganz einfach" mit Gott reden kannst. Das stimmt, ich würde es auch so sagen. Du kannst jederzeit und „ganz einfach" mit Gott sprechen. Damit meine ich, dass du zum Beten nicht besonders kluge Reden halten musst. Du kannst so mit Gott reden, wie dir zumute ist. Gott hört dir zu und er ist dir nah. Wenn du ihm erzählst, worüber du dich freust und wofür du ihm dankbar bist, dann freut er sich mit dir. Wenn du deine Sorgen mit ihm teilst, dann leidet er mit dir. Darauf kannst du dich verlassen. Auch wenn du das Gefühl hast, Gott hört dich nicht. In diesem Fall zählt nicht dein Gefühl, sondern das, was Gott in der Bibel sagt. In den Geschichten der Bibel kannst du lesen, dass Gott all denen zuhört und zur Seite steht, die sich im Gebet an ihn wenden. Zum Beispiel steht in Psalm 6,10: „Er achtet auf mein Schreien, mein Gebet nimmt er an." Ähnliches findest du in Psalm 4,4 und an vielen anderen Stellen.

Du sagst, du versuchst zu beten, wenn es dir nicht gut geht. Und dann hast du das Gefühl, es klappt nicht so.

Jetzt frage ich dich mal was: Warum betest du nur, wenn es dir nicht gut geht? Warum betest du nicht, wenn du fröhlich bist und dir etwas gut gelungen ist?

Beten kann man auch lernen. Zum Beispiel, indem man regelmäßig betet: abends vor dem Schlafen, morgens vor dem Aufstehen, vor oder nach dem Bibellesen, vor oder nach dem Essen und so weiter. Wenn du dir regelmäßige Zeiten zum Beten einrichtest, dann kannst du Gott in diesen Zeiten alles sagen, was dir wichtig ist. Du kannst ihm danken für alles Schöne dieses Tages. Du kannst ihn bitten für die Anliegen deiner Familie, deiner Freunde, auch für dich selbst. Du kannst Gott sagen, dass du ihn gut findest.

Wenn du immer nur dann betest, wenn es dir schlecht geht und du traurig bist, dann ist es doch klar, dass du dich nicht gut fühlst. Wenn es dir schlecht geht, dann geht es dir immerhin schlecht. Ein Gebet ist ja nicht unbedingt eine Medizin fürs Gutfühlen.

Du kannst Gott deine Sorgen sagen. Jederzeit. Logisch. Aber ich empfehle dir, das Beten eben nicht nur auf die Zeiten zu legen, in denen es dir schlecht geht.

Warum antwortet Gott nicht? Jetzt muss ich noch mal zurückfragen: Wie sollte Gott deiner Meinung nach denn antworten? Dass da keine Stimme vom Himmel als Antwort kommt, hast du dir ja sicher schon gedacht.

Manche Menschen erzählen, dass sie einen guten oder *besonderen Gedanken* bekommen haben, während sie gebetet haben. Ihnen ist beim Beten zum Beispiel eine Lösung für ein Problem eingefallen, oder ihnen kam die Idee, wen sie um Hilfe bitten könnten. So ein Gedanke könnte eine Antwort von Gott sein.

Andere haben nach dem Beten *jemanden getroffen,* der ihnen etwas Nettes gesagt oder sie getröstet hat, als sie sich schlecht gefühlt haben. Auch das kann eine Antwort von Gott sein.

Oft redet Gott durch die Bibel zu uns. Wenn du in der Bibel liest und vorher Gott gesagt hast, was dich gerade beschäftigt, dann könnte es sein, dass du in der Bibel etwas findest, das genau dazu passt.

Du siehst: Gott hat viele Möglichkeiten zu antworten. Aber oft kommt die Antwort nicht sofort und auch nicht unbedingt so, wie man sich das vorher vorgestellt hat. Bleib einfach dran und bete weiter. Wenn es dir gut geht und wenn es dir schlecht geht. Je öfter du betest, umso leichter fällt es dir.

Ich wünsche dir alles Gute
und viele gute Gedanken beim Beten!

Dein Harry

Jasmin, 12

Was bringt eine Bitte, wenn Gott sie nur erfüllt, wenn er will und das in seinem Plan sowieso vorgesehen hat?

Liebe Jasmin,

ja, das mit den eigenen Bitten und dem „Plan" Gottes ist für viele ein echtes Problem. Damit stehst du nicht alleine da. Vielleicht kann ich dir nicht ganz zufriedenstellend antworten. Denn ich kann in Gottes Gedanken nicht reinschauen und weiß deshalb selbst nicht genau, warum er manche Bitten erfüllt und andere nicht.

Stell dir folgende Situation vor: Du bist Mutter und gehst mit deinem
kleinen Kind spazieren. Ihr wollt zu einer Eisdiele, wo das Kind von dir ein riesengroßes Eis bekommen wird. Du freust dich schon und dein Kind freut sich auch. Unterwegs hat dein Kind viele Bitten an dich:

- „Mama, darf ich bitte jetzt schon ein Eis haben?"
- „Mama, darf ich auf der Straße spielen?"
- „Mama, trägst du mich?"
- „Mama, kaufst du mir ein Auto? Also ein richtiges Auto, kein Spielzeugauto!"
- „Mama, ich habe Durst! Gibst du mir was zu trinken?"
- „Mama, darf ich aus der Pfütze trinken?"
- „Mama, spielst du mit mir hier auf der Wiese?"

Und so weiter.

Weil du eine nette Mama bist und dein Kind lieb hast, wirst du ihm sicher einige dieser Bitten erfüllen. Aber bestimmt nicht alle. Bei manchen Dingen weißt du, dass es nicht geht oder für dein Kind nicht gut oder zu gefährlich wäre. Bei anderen Dingen weißt du, dass du deinem Kind später seinen Wunsch erfüllst.

Angenommen, du hast folgende Bitten erfüllt: Du hast das Kind ein Stück getragen, du hast ihm etwas zu trinken gegeben und mit ihm auf der Wiese gespielt. Und angenommen, du hast ihm *nicht* erlaubt, auf der Straße zu spielen und aus der Pfütze zu trinken. Außerdem hast du ihm kein Auto geschenkt und (noch) kein Eis gekauft (weil es ja nachher in der Eisdiele eins bekommt).

Hast du diese Bitten nicht erfüllt, weil du willkürlich oder böse bist?

Nein, sondern weil du dein Kind lieb hast und nicht willst, dass es überfahren oder krank wird.

Das Kind könnte jetzt sagen: „Pah, wieso hab ich die Mama überhaupt gefragt? Die macht ja doch, was sie will!" Es könnte aber auch denken: „Ich hab die Mama lieb. Sie macht es schon richtig." Und bald wird das Kind merken: Es war gut, dass die Mutter nicht alle Bitten so erfüllt hat, wie das Kind es wollte. Die Mutter hat mehr Durchblick als das Kind und weiß besser, was gut und wichtig ist. Und weil sie ihr Kind liebt, wird sie bei jeder Bitte neu bedenken, was gut ist und was nicht.

So weit die Mama mit dem Kind. Jetzt zu uns und Gott, dem Papa.
Wir machen Gott oft den Vorwurf: „Du erhörst meine Bitten ja gar nicht!", oder: „Du machst ja sowieso, was du willst!" Damit zeigen wir Gott: Eigentlich misstraue ich dir. Eigentlich glaube ich nicht, dass du es gut mit mir meinst. Sonst würdest du ja tun, was ich dir sage.

Gott ist aber wie eine Mutter (oder ein Vater) und weiß viel besser als wir, was wir wirklich brauchen, was gut für uns und die Welt ist. Er liebt uns noch mehr, als es jemals eine Mama oder ein Papa tun könnte. Und deshalb können wir ihm vertrauen. Er macht es gut!

Dabei dürfen wir nicht vergessen: Gott ist immer noch Gott. Das heißt, er ist der König, der Mächtigste über die ganze Welt. Natürlich tut er das, was er will. Das ist ja wohl sein gutes Recht. Er ist nicht unser Sklave, der unseren Willen tun muss. Und trotzdem hört er sich jede unserer Bitten an. Und er nimmt sie ernst. Alles wird genau abgewägt und dann entschieden, was für uns am besten ist.

Mir geht es auch manchmal so, dass ich denke, eine Bitte von mir war doch sehr gut und ehrlich und überhaupt nicht egoistisch – und trotzdem erfüllt Gott sie nicht (wenn ich zum Beispiel für eine Ehe bitte, die nicht auseinanderbrechen soll, und nachher geht sie doch kaputt). So etwas verstehe ich nicht. Und das sage ich Gott dann auch. Manchmal schimpfe ich mit Gott, so wie das Kind, das von seiner Mama kein Eis bekommt: „Ich will aber, ich will aber!" Doch bei alldem will ich Gott trotzdem vertrauen: Gott macht es gut.

Du hast gefragt: „Was bringt denn eine Bitte, wenn Gott sie ja doch nur erfüllt, wenn sie in seinen Plan passt?" Und ich würde sagen: *Gott sei Dank, dass er nicht alle meine Bitten erfüllt!* Ich finde es gerade gut, dass meine Wünsche nicht alle postwendend so erfüllt werden, wie ich mir das vorstelle, sondern dass meine Bitten an den Gott gehen, der die ganze Welt in seinen Händen hält, der alle Gedanken aller Menschen kennt, der schon weiß, was in zehn und hundert Jahren sein wird – und der lieber seinen guten Plan verfolgt als unsere Pläne, die nicht immer hilfreich sind.

Ich möchte dir Mut machen, Gott ganz entspannt zu vertrauen. Du kannst Gott alle deine Anliegen aufzählen. Alle. So steht es auch in der Bibel an ganz vielen Stellen. Gott hört sich alle deine Bitten an und nimmt sie ernst. Alle. Und noch besser: Gott sortiert sie richtig gut ein. Bei ihm laufen alle Fäden der Welt zusammen (nicht nur deine) und er hat einen guten Plan für die ganze Welt (nicht nur für dich und mich und unsere Familien und Freunde). Er entscheidet wie ein guter Papa, was jetzt am besten ist.

Deshalb erfüllt er manche Bitte sofort – und zwar, weil *du* gebetet hast und Gott deinen Wunsch gut findet und ihn dir erfüllen möchte; manche Bitten erfüllt er später – zu einem besseren Zeitpunkt, weil Gott die Zusammenhänge kennt; und manche Bitten erfüllt er gar nicht – weil er einen anderen Weg vorgesehen hat, auch wenn wir Menschen die Gründe dafür vielleicht nie erfahren oder kapieren. Aber es kommt auch schon mal vor, dass man später selbst erkennt, wie gut es war, dass Gott eine Bitte nicht (oder anders) erfüllt hat.

Du siehst, so einfach lässt sich das gar nicht sagen. Was ich aber von Herzen sagen kann: *Du kannst Gott vertrauen.* Und deine Bitten sind weiterhin bei Gott gut aufgehoben. Du darfst um alles bitten. Und du kannst dabei glauben und vertrauen, dass Gott es gut mit dir meint und mit allen, für die du betest.

Ich wünsche dir ein fröhliches Weiterbeten!
Dein Harry

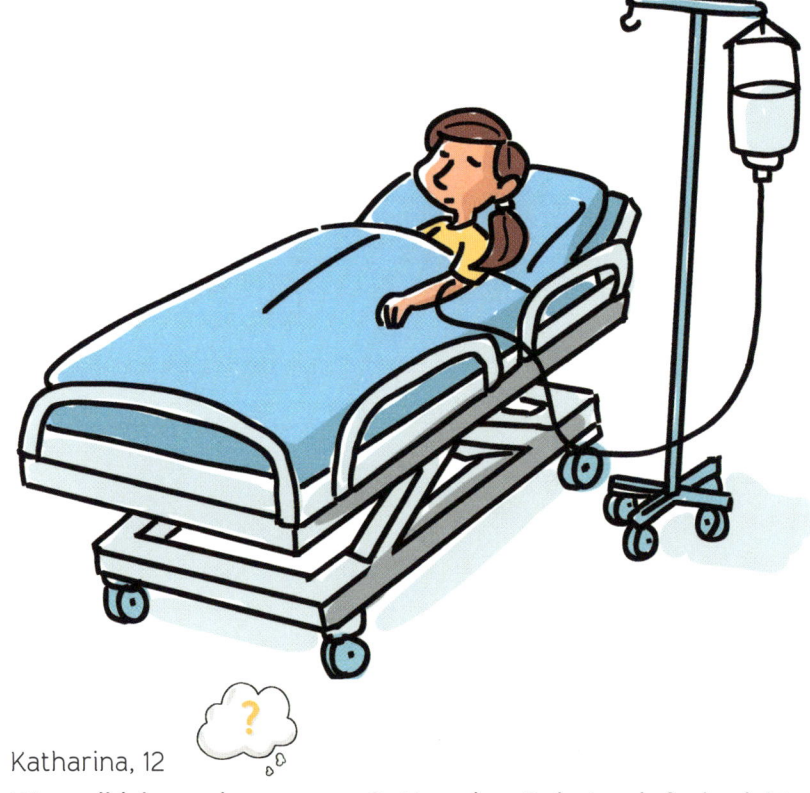

Katharina, 12

**Was soll ich machen, wenn Gott meine Gebete einfach nicht er-
hört? Meine Freundin ist jetzt schon lange krank und alle beten
für sie. Doch sie wird einfach nicht gesund! Wieso hilft Gott
nicht, anstatt so lange zu warten?**

Liebe Katharina,

ich freue mich, dass du und so viele andere für eure Freundin betet.
Das ist genau richtig.

Warum Gott so unterschiedlich auf unsere Gebete eingeht, weiß keiner
von uns. Manchmal hilft er ganz schnell bei einem Problem oder einer
Krankheit, manchmal lässt er sich viel Zeit dafür und manchmal hilft
er überhaupt nicht. Das ist für uns, die wir beten, schwer nachzuvoll-
ziehen. Ich würde dir gern eine kluge Antwort dazu geben, aber ich
kenne sie nicht.

Es gibt Leute, die erzählen, dass Gott ihr Gebet nicht erhört hat,
aber dass sie nachträglich dankbar dafür sind, weil sich dadurch ir-

gendetwas anderes gebessert hat oder sie etwas Bestimmtes verstanden oder erlebt haben. Das sind besondere Momente für diese Leute. Und trotzdem kann man aus solchen Erzählungen keine Regel ableiten, so nach dem Motto: „Aha, jetzt hab ich's kapiert. Wenn Gott mein Gebet nicht erhört, dann meint er damit dies und das. Und ich soll hier und da etwas lernen. Oder ich habe an dieser Stelle etwas falsch gemacht." Nein. Gott ist keine Maschine und kein Computer, den man irgendwann mal „kapiert" hat und dann nur noch richtig „bedienen" muss, damit alles so funktioniert, wie es soll.

Was ich über Gott kapiere: Er liebt jeden Menschen. Er hat jeden Menschen gewollt und geschaffen. Egal, wie er aussieht, egal, wie er sich fühlt. Und eben auch egal, wie krank ein Mensch ist. Es gibt Menschen, die bleiben ihr Leben lang krank, auch wenn tausend Leute auf einmal beten. Trotzdem liebt Gott auch diese Menschen.

Gott steht euch zur Seite. Dir, den anderen Betern, deiner Freundin. Er liebt euch, er steht neben euch, er weint mit euch, er ringt mit euch. Das lese ich aus der Bibel heraus. So ist Gott. Wann und wie er hilft, das kann ich nicht sagen. Dazu müsste ich Gott ins Gehirn schauen. Und das kann ich nicht (zum Glück).

Für die Kranke ist es wichtig zu wissen, dass es Freundinnen gibt, die weiter mit ihr ausharren. Die zu ihr halten, auch wenn sich das Problem nicht gleich bessert.

Vielleicht hilft es dir zu sehen, dass sogar die *Leute aus der Bibel* erlebt haben, wie Gott schlimme Krankheiten zugelassen hat. Das bekannteste Beispiel ist Hiob (über ihn gibt es sogar ein eigenes Buch in der Bibel). Der hat von einem Tag auf den anderen alles verloren, was ihm wichtig war: seinen Besitz, seine Kinder, alles. Und dann wurde er auch noch so krank, dass sich die Leute vor ihm ekelten. Er hat rumgeschimpft, das kannst du dir vorstellen. „Warum bin ich überhaupt geboren?", hat er gefragt. Und: „Gott soll sich mir mal zeigen! Ich will Gott anklagen, ich will Gott vor Gericht stellen! Gott hat kein Recht, mich so zu behandeln! Ich hab mir nichts Böses zuschulden kommen lassen, und jetzt muss ich so was Schlimmes ertragen! Wie kann Gott mir das antun!"

Am Schluss muss Hiob hören, wie Gott sagt: „Du willst mir Vorschriften machen? Wer ist denn hier Gott und wer ist Mensch? Wer hat wen erschaffen? Ich glaube nicht, dass du mich belehren kannst."

Wenn du willst, kannst du dir das Buch Hiob mal im Ganzen durchlesen. Dort wirst du auch seine Freunde kennenlernen, die ihm zwar einerseits zur Seite gestanden haben (was ich super finde und was für Leute, die so leiden, ganz wichtig ist), die aber andererseits manchmal auch ganz dumme Antworten gegeben haben, wie zum Beispiel: „Ist doch logisch, dass du so was erleiden musst, sicher hast du schlimm gesündigt", oder: „Irgendwas Gutes bewirkt es bestimmt." All diese Bemerkungen haben Hiob nicht geholfen. Und wenn ich dir eine solche Antwort geben würde, würde sie dir sicher auch nicht helfen.

Die wichtigere Frage für dich wäre, *wie du weiterhin dranbleiben kannst:* am Gebet, an Gott, an deinem Freund Jesus. Und da versuche ich dir jetzt einfach mal, den einen oder anderen Tipp zu geben.

1. Bete weiter.

Lieg Gott in den Ohren. So machst du es doch auch bei deinen Eltern. Meine eigenen Kinder zum Beispiel wollten früher unbedingt ein Haustier haben (ich aber nicht). Und sie lagen mir dauernd in den Ohren damit. Eines Tages habe ich mich weichklopfen lassen und meiner Tochter erlaubt, ein Kaninchen zu besitzen. Okay, du kannst Gott nicht weichklopfen. Aber Gott hat uns in der Bibel dazu aufgefordert zu beten. Du betest und das ist gut. Weiter so.

2. Sag Gott, wie es dir geht.

Spiel nicht die Tapfere, die alles versteht und die ganz geduldig ist. Sag Gott im Gebet ruhig, dass du es nicht mehr aushältst, dass du ihn nicht verstehst. Das haben ganz viele Leute in der Bibel auch so gemacht. Sie haben Gott angemeckert, sie haben rumgemotzt, geschrien, getobt. Psalm 13 ist dafür ein ganz gutes Beispiel. Da betet einer: „Herr, hast du mich für immer vergessen? Wie lange willst du dich noch verbergen? Wie lange sollen mich die Sorgen quälen?" Und so weiter.

Und am Ende, nach einigem Jammern, kommt er zu dem Schluss: „Doch ich verlasse mich auf deine Liebe, ich juble über deine Hilfe" (obwohl sie noch gar nicht da ist). „Mit meinem Lied will ich dir danken, HERR, weil du so gut zu mir gewesen bist." So ergeht es vielen, die Gott ihre Not sagen. Sie sind ehrlich vor Gott, sie sagen ihm, dass sie ihn nicht verstehen. Aber sie vertrauen weiter darauf, dass Gott es gut meint. Auch wenn sie ihn nicht verstehen. Und auch das kann trösten.

3. Traue Gott alles zu.

Gott kann deine Freundin wieder gesund machen. Gott kann dich selbst stark machen. Gott kann dir die Kraft geben, deiner Freundin zur Seite zu stehen. Gott kann alles. Gott hat so viele Möglichkeiten zu helfen. Mehr, als wir uns vorstellen. Gott kann dir helfen, geduldig zu bleiben. Auch wenn du immer wieder wütend und verzweifelt wirst – Gott kann dir helfen, nicht zugrunde zu gehen. Gott kann euch Leute zur Seite stellen, die mit euch beten und euch ermutigen. Gott wird nicht krank. Gott wird nicht schwach. Gott verlässt dich nie. Das sind Wahrheiten, an die du dich klammern kannst.

4. Sprich mit Leuten in deiner Nähe über dich und deine Situation.

Wen hast du dafür? Jemanden aus einer Gemeinde? Aus einer Jungschar, einem Teenkreis? Vielleicht eine Nachbarin? Eine Verwandte? Sprich mit jemandem, der dich versteht. Heul bei dieser Person, so viel du willst. Vielleicht findest du auch jemanden, mit dem du zusammen beten kannst. Du brauchst jemanden zum Reden. Es ist nicht gut, wenn du deinen Kummer in dich hineinfrisst.

5. Bleib dran an Gott.

David hat in Psalm 23 gebetet: „Und auch wenn ich mal durch ein finsteres Tal gehe, fürchte ich mich nicht. Denn du bist bei mir. Du tröstest mich." Der hatte also auch eine Not, und sein Gebet war nicht, dass sich die Not ändern soll (das hat er sich sicher trotzdem auch gewünscht). Er hat sich einfach darüber gefreut, dass Gott ihm zur Seite gestanden hat. Dadurch war die schlimme Zeit für ihn nicht mehr ganz so schlimm.

In Psalm 73 betet jemand: „Herr, beinahe wäre ich verrückt geworden, als ich gesehen habe, wie schlecht es mir geht und wie gut es anderen geht (die noch nicht mal an Gott glauben). Aber trotzdem: Ich bleibe fest an dir! Du hältst mich an meiner Hand! Du nimmst mich am Ende bei dir auf! Wenn ich nur dich habe, dann ist mir alles andere eigentlich egal. Auch wenn ich mein Leben verlieren sollte, bist du bei mir und tröstest mich. Das ist mir das Wichtigste."

So ein Vertrauen wünsche ich dir. An Gott dranzubleiben, auch wenn du ihn nicht verstehst. Kinder verstehen Mama und Papa manchmal auch nicht (warum sie ihnen zum Beispiel keinen Hund schenken), und sie lieben ihre Eltern trotzdem und bleiben da. Kinder brauchen ihre Eltern. Und du brauchst Gott.

Ich hoffe, du bist nicht enttäuscht, dass ich dir keine wirkliche Antwort auf deine Frage gegeben habe, warum Gott so lange nicht hilft. Denn das weiß ich auch nicht. Ich kenne weder deine Freundin noch dich. Und in Gottes Gedanken kann ich auch nicht reinschauen. Aber ich habe das Vertrauen, dass Gott größer ist als unser Herz. Er hilft, auch wenn wir nicht wissen, wie. Und bis dahin ist es gut, wenn wir das Vertrauen nicht verlieren, sondern an ihm dranbleiben. So, wie es auch die Leute in der Bibel gemacht haben.

Lass dich für heute vielmals grüßen
von Harry

Emily, 13

Meine Oma war so krank, dass sie letzten Freitag verstorben ist. Wo ist Gott bloß gewesen, als Oma krank wurde und starb? Er ist doch allmächtig. Warum hat er nur zugeguckt und nichts gemacht, obwohl es für ihn ein Leichtes gewesen wäre? Wir haben auch gebetet, aber es hat nicht geholfen. Ich komme im Moment ganz schlecht mit meiner Trauer klar.

Liebe Emily,

dass du um deine Oma trauerst, kann ich gut verstehen. Das ist gut und richtig, und die Trauer kann dir keiner abnehmen. Wenn dir nach Heulen und Schreien zumute ist, dann tu das. Einen geliebten Menschen zu verlieren, tut unglaublich weh. Das geht uns allen so. Und jeder muss damit fertig werden.

Du sagst, du verstehst dabei Gott nicht. Das kann ich auch gut nachvollziehen und dafür musst du dich auch nicht schämen oder entschuldigen. Wenn du willst, lies dir doch mal ein paar Psalmen durch (z.B. Psalm 6, Psalm 10, Psalm 13, Psalm 22). Darin wirst du feststellen, dass auch die Menschen in der Bibel teilweise Gott angeklagt haben. Sie haben Gott angeschrien: „Gott, wo bist du? Wo warst du? Hast du mich verlassen?" Du kannst dir einige Verse daraus aufschreiben und selbst beten, wenn dir danach ist.

Was die Leute, die diese Psalmen geschrieben haben, sehr vorbildlich getan haben: Sie haben sich in ihrer Wut nicht von Gott abgewandt, sondern haben Gott selbst mit ihrer Verzweiflung angebetet. Sie sind zu Gott gegangen. Sie wussten, dass ihre Klage bei Gott an der richtigen Adresse ist, auch wenn sie Gott erst mal nicht verstehen.

Das schon mal vorweg, um dir Mut zu machen, deine Trauer und Wut und Verständnislosigkeit raus-

zulassen. Und am besten auch bei Gott rauszulassen. Keine Angst, Gott ist nicht beleidigt, wenn du schimpfst. Er verträgt schon so manches. Das Beste dabei ist, dass der Kontakt zu Gott nicht abreißt. Denn Gott bleibt auch weiterhin dein Gott, dein Vater, dein Hirte – auch wenn du im Moment nichts davon spürst.

Aber nun zu deinen Fragen:

Wie konnte Gott das zulassen?

Du wirst es dir schon denken, dass ich so doof antworte, aber meine einzige ehrliche Antwort kann nur lauten: Ich weiß es auch nicht. Ich bin nicht Gott, auch nicht sein Assistent, dem Gott seine Gedanken mitteilen würde. Gott entscheidet ganz allein.

Die gleiche Frage stellen sich viele Menschen: Wieso lässt Gott Leid überhaupt zu? Gott scheint tatenlos zuzuschauen, wie jeden Tag Menschen verhungern oder im Krieg sterben oder bei Erdbeben ums Leben kommen. Wieso greift Gott nicht viel öfter ein? Wieso gibt es überhaupt den Tod?

Was wir bei aller Trauer lernen und akzeptieren müssen: Leid und Tod gehören zu unserem Leben dazu. Jeder Mensch muss einmal sterben. Der eine früher, der andere später. Aber wann ist – nach unseren Maßstäben – eine gute Zeit, um zu sterben? Wenn jemand lebensmüde ist? Wenn jemand sich jahrelang mit Krankheit im Bett quält? Der Tod kommt immer zur falschen Zeit. Und er lässt die Lebenden immer fassungslos zurück.

Das ist bei dir und deiner Oma so. Das ist auch bei allen anderen Trauernden auf dieser Welt so. Wenn deine Oma nun noch gesund geworden wäre und zehn Jahre später gestorben wäre, hättest du die gleiche Frage wieder gestellt. Denn dann hätte es nicht weniger wehgetan.

Also: Gott lässt den Tod grundsätzlich zu. Jeder von uns muss eines Tages sterben. Nur: Wann dieser Tag ist, das wissen wir nicht. Zum Glück! Aber es ist gut, wenn wir uns das immer wieder bewusst machen. Irgendwann wird auch deine Mutter sterben, dein Vater,

viele andere Menschen, die dir
lieb sind. Und jedes Mal bleibt
es dabei, dass Gott der Be-
stimmer über Leben und
Tod ist. Wir können nicht
anders, als Gott die
Entscheidung zu
überlassen. Und uns
selbst immer mal
wieder zu fragen:
Wäre ich heute bereit
abzutreten? Könnte ich jetzt sterben, ohne dass ich noch mit jemandem
etwas Wichtiges klären muss? Leider
wird heute viel zu wenig über den Tod gesprochen. Er wird einfach ausgeblendet. Darum
trifft er uns auch so hart, wenn er dann doch mal da ist. Würden wir
öfter darüber reden, auch mit unseren Eltern und Großeltern, dann
wären wir besser vorbereitet.

Warum hat Gott nicht eingegriffen? Gott greift ganz oft ein, wenn
wir in Not sind. Aber eben nicht immer. Das können wir auch nicht
verlangen oder erwarten. Und wenn Gott es nicht tut, dann brauchen wir ihm nichts vorzuhalten. Wir haben keine Hilfe-Garantie. Wir
haben vor allem keinen Rechtsanspruch auf Hilfe. Gott hilft, wann er
will. Und oft lässt er Leid auch einfach zu. Dass er „bloß zuschaut",
glaub ich nicht. Ich glaube, dass Gott im Leid mitleidet. Jesus hat
auch immer wieder geweint, wenn er gespürt hat, wie schlimm
Menschen leiden. Über Jesus steht in der Bibel: „Weil er selbst Leid
erlebt hat und auch in Versuchung geraten ist, kann er uns jetzt in
unserer Situation helfen" (Hebräer 2,18). Gott schaut nicht bloß zu.
Aber manchmal sieht seine Hilfe auch so aus, dass er aus diesem
leidvollen Leben befreit und Menschen zu sich holt. Manchmal hilft

er, indem er hindurchträgt und Kraft gibt. Und manchmal eben auch durch Heilung. Gott hat viele Möglichkeiten. Aber man kann ihn nicht vorausberechnen.

Vielleicht hast du Leute, die für dich beten oder mit denen du zusammen beten kannst. Wende dich an sie. Es wäre schön, wenn du weiterhin, während du über Gott schimpfst, trotzdem auf Gottes Schoß sitzen bleibst. Meine Kinder haben früher auch manchmal auf meinem Schoß gesessen und gleichzeitig über mich geschimpft und gerufen: „Papa, du bist gemein!" Und dann haben sie mich umarmt und haben losgeheult. Das hat mich immer sehr angerührt: Wütend sein und Papa lieben – das kann auch zusammengehören. Und das wünsche ich dir auch.

Lass dich für heute ganz herzlich grüßen von Harry

Erik, 11

Was ist ein Christ und wie verläuft sein religiöser Lebensweg?

Lieber Erik,

ein Christ ist ein Mensch, der sein Leben an Christus orientiert (daher der Name). Mit Christus ist Jesus gemeint. In der Bibel stellt er sich als Gottes Sohn vor, der in Gottes Auftrag auf die Welt gekommen ist, um die Welt wieder mit Gott zu verbinden.

Und das ist so gemeint: Wir Menschen leben in einer Welt, die zwar von Gott geschaffen, aber doch von Gott getrennt ist. Von alleine kann kein Mensch zu Gott kommen. Diese Trennung von Gott nennt die Bibel „Sünde".

Die Bibel lehrt, dass die Menschen nach dem Leben auf der Erde vor eine Art Gericht gestellt werden. Dort wird jeder Mensch „bekommen, was er verdient", je nachdem, wie er sich hier auf der Erde verhalten hat (2. Korinther 5,10). Und zwar entweder ewiges Leben ganz nah bei Gott (wo es kein Leid, keinen Krieg, keine Tränen usw. gibt) oder ewige Strafe ganz fern von Gott (Matthäus 25,46). Weil alle Menschen, die das glauben, natürlich nicht bestraft werden wollen, sondern nah bei Gott sein wollen, versuchen sie, ein gutes Leben zu führen und damit Gott freundlich zu stimmen. Das tun sie, indem sie sich bemühen, viel Gutes zu tun (Omas über die Straße helfen, Geld spenden, zu allen freundlich sein ...) und oft in die Kirche zu gehen.

Andere Religionen haben nicht die Bibel der Christen als Grundlage. Trotzdem tragen sie ein Gespür in sich, dass sie sich nach diesem Leben vor irgendeinem Gott verantworten müssen. Darum bemühen sich auch die Menschen anderer Religionen, ein gutes Leben zu führen oder den Gott, an den sie glauben, gnädig zu stimmen. In der jüdischen Religion gehörte dazu, Tiere zu opfern. Wenn das Tier starb, erhoffte sich der Mensch, dass er stattdessen leben durfte. Das Tierleben wurde geopfert, das Menschenleben war von der ewigen

Strafe errettet. Das Tier starb sozusagen anstelle des Menschen. So ist und war der Glaube in vielen Religionen.

Weil unsere Welt aber von Gott getrennt ist und niemand aus eigener Kraft zu Gott kommen kann, nützen all die Anstrengungen und Opfer nichts. Es bleibt dabei: Das Böse, das wir in unserem Leben tun, überwiegt immer über das Gute, das wir uns zu tun bemühen. Auch bei den nettesten Menschen. Keiner kann von sich aus vor Gott bestehen (Römer 3,23). Das Besondere am christlichen Glauben ist, dass Christen davon ausgehen, dass Gott selbst ein Opfer gebracht hat, das anstelle des Menschen geopfert wurde. Nämlich seinen Sohn Jesus.

Als Jesus auf der Welt war, hat er nicht nur gute Taten vollbracht, Menschen geheilt und Geschichten erzählt. Nein. Am Ende seines Lebens ist er brutal umgebracht worden. Dieser Tod am Kreuz gilt vor Gott nun als die Aufhebung der Trennung. Mit dem Tod von Jesus hat Gott die Sünde der Menschen weggenommen. Und weil Jesus wieder auferstanden ist, hat er auch allen Menschen ermöglicht, nach ihrem Tod aufzuerstehen. Ausführlich habe ich die Frage, warum Jesus sterben musste, auf Seite 32–34 beantwortet.

Der Tod ist für Christen nun nicht mehr das Ende, sondern das Tor zu einem ewigen Leben bei Gott, wo es nur noch schön ist.

Das klingt alles wahnsinnig kompliziert. Kurz gefasst heißt das: Alle, die Jesus vertrauen, können sich jetzt schon darauf verlassen, dass sie nach ihrem Tod für immer ganz nah bei Gott sind. Dort wird es nichts Böses mehr geben. Gott hat die Schuld allen vergeben, die zu ihm gehören wollen.

Weil Christen das jetzt schon wissen, können sie ganz anders mit anderen Menschen umgehen. Jetzt helfen sie gern alten Omas über die Straße, spenden Geld oder sind zu anderen freundlich, weil sie so froh sind über das, was Gott für sie getan hat. Sie wissen, dass ihr Leben kurz und unbedeutend ist und das Schönste noch kommt. Deshalb müssen sie sich selbst nicht so wichtig nehmen und brauchen

nicht immer nur auf ihren Vorteil zu achten. Deshalb verläuft ihr „religiöser Lebensweg" so, dass sie anderen Gutes tun möchten, gut über andere reden und denken und andere auch dazu einladen möchten, mit Jesus zu leben. Nicht, weil sie sich damit das ewige Leben verdienen wollen, sondern weil sie aus Liebe zu Gott auch die Mitmenschen lieben möchten.

Nur: Denk nicht, lieber Erik, dass alle Christen schon kleine Engel geworden sind. Weil sie immer noch Menschen sind, denken sie oft auch noch schlecht über andere, tun manchmal doch nicht das Richtige und denken häufig zuerst an sich und an ihren Vorteil. Sie brauchen ihr ganzes Leben lang Vergebung von Gott. Aber je enger ein Christ mit Jesus Christus zusammenlebt und je mehr er aus der Bibel lernt, umso mehr entspricht sein Leben dem, was ich dir eben beschrieben habe.

Viele Grüße *dein* *Harry*

Leni, 12

Ich versuche immer, das zu machen, was Gott möchte, aber ich vergesse das oft. Bin ich dann überhaupt Christ?

Liebe Leni,

als Erstes möchte ich dich fragen: Was denkst du, macht einen Christen zu einem Christen? Wann ist ein Christ ein Christ? Ich verrate es dir: wenn er zu Jesus Christus gehört. Wenn er sich sagt: „Ich möchte ein Freund, eine Freundin von Jesus sein. Jesus soll mir wegnehmen, was mich von Gott trennt. Ich möchte auf der Seite von Jesus stehen." Für alle, die sich das wünschen, gilt: „Nun werden alle, die Jesus vertrauen, nicht mehr verloren gehen. Sie werden das ewige Leben haben" (Johannes 3,16); „Ich, Jesus, gebe allen, die zu mir gehören, das ewige Leben und sie werden niemals umkommen. Niemand kann sie mir aus den Händen reißen" (Johannes 10,28); und: „Wenn jemand zu Jesus Christus gehört, dann ist er vor Gott ein ganz neues Geschöpf geworden. Das Alte ist wie weggepustet. Etwas ganz Neues hat angefangen" (2. Korinther 5,17).

Also: **Christ zu sein, zu Jesus zu gehören,** ist zunächst einmal eine Entscheidung, die du in deinem Herzen triffst. Es ist kein Katalog von Dingen, die man abarbeiten muss, um dabei zu „versuchen", Christ zu sein. Entweder du gehörst zu Gottes Familie, weil du dich dafür entschieden hast, oder du gehörst nicht dazu, weil du dich dagegen entschieden hast. Das ist das Wichtigste. Wenn du ein Christ sein möchtest, dann bist du es. Das können dir andere auch nicht ausreden.

So. Das ist die allerwichtigste Lektion, die du lernen solltest. Wenn du Christ bist, dann bist du das auch ohne Leistungen. Auch ohne dass du tust, was Gott gut findet, und so weiter. Um das zu kapieren, müsstest du am besten erst mal ganz viele solcher Bibelstellen lesen. Fang bei denen an, die ich dir oben aufgezählt habe.

Vielleicht denkst du jetzt: „Nanu, aber man muss doch als Christ auch christlich leben. Ich kann doch nicht andauernd gemeine Dinge tun, als wäre ich kein Christ!" Das stimmt auch. Das geht nicht. Aber das ist erst der zweite Schritt.

Stell dir ein neugeborenes Baby vor.

Gehört es zu seiner Mama? Na klar.

Nun soll das Kind auf die Mama hören. Aber obwohl die Mama gesagt hat: „Geh nicht an die Topfpflanze und greif nicht rein", macht das Kind es trotzdem. Ist es jetzt nicht mehr das Kind seiner Mutter? Doch. Klar. Trotzdem muss das Kind lernen, dass es das, was die Mama sagt, auch tun sollte. Aber das kann es mit neun Monaten noch nicht.

Die Mutter möchte auch, dass ihr Kind gut über sie redet und sie vor anderen nicht schlechtmacht. Nun ist das Kind schon zwei Jahre alt und hat ihr immer noch kein Bild gemalt und keinen Brief ge-schrieben oder bei anderen nett über die Mama geredet. Ist es jetzt nicht mehr das Kind seiner Mutter? Doch, natürlich. Das Kind muss noch viel lernen. Es kann vieles noch nicht von allein. Die Mama muss immer und immer wieder helfen.

So weit ist dir das sicher klar. *Aber jetzt zu deinem Leben als Kind in Gottes Familie.* Dass dir manches noch schwerfällt, dass du immer wieder Dinge tust, die nicht zu Gott passen, ist doch ganz logisch! Du bist ja kein Engel, der aus dem Himmel gefallen ist! Jeder macht Fehler! Wichtig ist nur, dass man dranbleibt und sich nicht sagt: „Mir ist alles egal." Wenn ein Kind mit zehn Jahren immer noch nicht aufs Klo geht, sondern in die Hose macht, weil es sich sagt: „Ist mir egal, Mama liebt mich trotzdem", dann stimmt da was nicht.

Wenn du denkst: „Ich mach alles falsch",
dann nimm dir doch *eine* Sache vor, die du umzusetzen versuchst. Zum Beispiel, nett zu deinen Mitschülern zu sein. Oder deine Mutter nicht anzuschreien. Oder was auch immer. Aber nicht alles auf einmal. Und wenn du wieder etwas tust, von dem du denkst, dass Gott es nicht möchte, dann sag dir: „Ja,

das ist dumm gelaufen, aber ich will trotzdem weiterkommen." Und du kannst Gott bitten, dir dabei zu helfen: dich zu verändern – immer mehr dahin, wie sich Jesus das Leben derjenigen vorgestellt hat, die zu ihm gehören.

Wenn du in der Bibel liest oder andere Bücher von Leuten, die Gott lieb haben, dann bringt dich das auch weiter. Oder wenn du in einen Jugendkreis, einen Teenkreis oder eine ähnliche Gruppe gehst, in der sich andere Christen treffen und sich gegenseitig ermutigen. Wenn du dir vornimmst, dranzubleiben, Gott näherzukommen, dann wirst du das auch. Dafür wird Gott sorgen.

Dabei ist es aber wichtig, dass du einerseits nicht sagst: „Na gut, dann streng ich mich überhaupt nicht an, wenn alles egal ist", aber andererseits auch nicht: „Oh Hilfe, ich mach immer noch alles falsch, ich bin bestimmt kein richtiger Christ."

Ist das deutlich geworden? Dann wünsche ich dir, dass du weiter fröhlich dranbleibst, als Christin zu leben und dich dabei nicht einschüchtern zu lassen.

Alles Gute und herzliche Grüße

dein
Harry

Leon, 11

Ich bin Christ, aber manchmal denke ich nicht an Gott oder mache sogar Sachen mit, von denen ich weiß, dass sie nicht gut sind. Was kann ich dagegen tun? Manchmal zweifle ich sogar daran, ob ich überhaupt in den Himmel komme.

Lieber Leon,

du bist Christ. Darüber freue ich mich. Damit gehörst du zu Jesus und zu seiner Familie. Das ist etwas ganz Besonderes. Ich hoffe, das ist dir bewusst. Jesus denkt über dich: „Ich liebe Leon." Und jetzt entspann dich. Dann geh ich auf alle weiteren Fragen ein. Ja?

Du sagst: „Manchmal denke ich nicht an Gott."

Weißt du was? Ich auch nicht. Und trotzdem bin ich Christ und liebe Gott. Wie oft am Tag denkst du an deine Mutter? An deinen Vater? Sicher nicht ununterbrochen. Und du bist trotzdem noch das Kind deiner Familie, richtig? Also entspann dich. Du gehörst zu Gott. Du bist Christ. Du willst es gut und richtig machen und Gott kennt dein Herz. Er sieht deine Bemühungen und er ist großzügig mit dir.

„Manchmal mache ich Sachen mit, von denen ich weiß, dass sie nicht gut sind."

Ja, das kann passieren. Hab ich auch gemacht, und ich war auch schon als Schüler Christ. Wenn du darauf achtest, was gut ist, dann ist das doch schon mal ein guter Anfang.

Ich will *nicht* sagen, du solltest ruhig weiter die Sachen mitmachen, die nicht gut sind. Du hast recht: Wir Christen müssen nicht bei allem dabei sein. Manchmal ist es besser, wenn wir sagen: „Nein, da mache ich nicht mit." Andere ärgern und ausschließen zum Beispiel. Andere beleidigen. Stehlen, Schwächere verkloppen und so weiter. Aber denk immer daran: Du bist noch ein Kind. Du bist noch am Lernen! Du darfst Fehler machen! Ich wünschte mir, so mancher Erwachsene würde mehr darauf achten, was er sagt und tut.

Wenn du mal wieder Dinge tust, die nicht gut waren – sag Jesus, dass es dir leidtut, und dann ist es auch schon wieder erledigt. Dann sieh nach vorne und mach fröhlich weiter. Selbst Paulus sagt, dass er immer wieder hinfällt. Und dann steht er auf und macht weiter. Wenn du darum bittest, dass Gott dich nach und nach so umformt, dass du ihm immer ähnlicher wirst, dann wirst du selbst entdecken, wie du dich weiterentwickelst. Und vielleicht gibt dir Gott auch mal den Gedanken: „Lass das", kurz bevor du etwas Dummes tun willst. Dann hör auf diese Stimme.

„Manchmal zweifle ich, ob ich überhaupt in den Himmel komme."

Ich hoffe, diese Zweifel hab ich dir mit meiner Antwort ein bisschen genommen. Du gehörst zu Jesus und damit gehörst du zur Herde des Guten Hirten. Und er wird jedes Schäfchen, das sich verirrt, suchen gehen. Er wird nicht zulassen, dass jemand eins davon aus seiner Herde klaut. Auch dich nicht. Also freu dich über deinen Guten Hirten und freu dich darauf, ihn im Himmel einmal für immer sehen und bewundern zu können. Du bist dabei! Hundertpro!

Vielleicht beruhigt es dich zu wissen, dass es ganz vielen Christen so geht wie dir. Sie haben dauernd Zweifel daran, ob sie es wirklich gut genug machen und Jesus wirklich zufrieden mit ihnen sein kann oder ob sie zu halbherzig sind und so weiter. Das find ich traurig. Wir Christen könnten viel froher sein. Also freu dich doch einfach über Jesus und nimm deine Schuld nicht ganz so streng.

Ich wünsche dir heute so viel Freude über Jesus, dass sich deine zweifelnden Gedanken ganz schnell verkrümeln und nicht wiederkommen.

Ganz herzliche Grüße dein
Harry

Niklas, 9

**Wenn ich in der Bibel lese, denke ich an andere Sachen.
Ist das schlimm?**

Lieber Niklas,

das geht mir auch oft so. Na und? Dann les ich einfach weiter. Meistens merke ich mir doch etwas von dem, was ich gelesen habe. Manchmal mach ich es auch so, dass ich mir die Sachen, die mir quer durch den Kopf schießen und mich ablenken wollen, schnell auf einem Zettel aufschreibe. Dann vergesse ich sie nicht und kann nach dem Bibellesen weiter darüber nachdenken. Dann hab ich meistens den Kopf auch wieder frei und ich muss nicht immer daran denken.

Grundsätzlich geht das jedem so. Man denkt dauernd an andere Sachen, weil man sich so viel merken soll. Auch beim Erledigen der Hausaufgaben und so weiter denkt man an tausend andere Dinge. Das ist blöd, aber nicht tragisch. Gott wird dich dafür nicht weniger lieb haben.

Viel Spaß weiterhin beim Bibellesen wünscht dir   *dein Harry*

Lotta, 12

Woher kann ich wissen, ob ich Jesus' Freundin bin?

Liebe Lotta,

ich hab auch eine Frage an dich: Woher weißt du, ob du die Freundin von deiner Freundin bist? – Vermutlich, weil ihr euch trefft, verabredet, weil ihr gern zusammen seid, euch unterhaltet, weil ihr vielleicht in der Schule nebeneinandersitzt. Vielleicht auch, weil ihr euch gegenseitig helft, euch etwas schenkt, weil deine Freundin zu dir sagt, dass sie gern deine Freundin ist, oder weil du zu ihr sagst, dass du gern ihre Freundin bist.

Bei einer Freundschaft zwischen Menschen weiß man irgendwie, dass man befreundet ist, oder? Bei Jesus tut man sich da viel schwerer. Vielleicht, weil man Jesus nicht sieht. Weil man nicht mit ihm spielen kann, weil Jesus einen nicht anlächelt oder Briefchen schreibt oder in der Schule neben dir sitzt. Ist es nicht so?

Vielleicht verhält es sich bei der Freundschaft mit Jesus doch so ähnlich. Mal überlegen. Jesus hat zu seinen Jüngern gesagt: „Ihr seid meine Freunde, wenn ihr mein Gebot befolgt" (Johannes 15,14). Huch? Gebot befolgt? Was muss ich denn tun? Stellt Jesus etwa Bedingungen? – Andererseits: Stellt nicht jede Freundschaft Bedingungen? Wenn du die Freundin deiner Freundin bleiben willst, dann machst du ja auch nicht absichtlich etwas, worüber sich deine Freundin ärgert.

Wenn du weißt, was sie doof findet, dann tust du das doch nicht, oder? – Jesus möchte auch, dass wir das, was er blöd findet, nicht tun. Ist ja eigentlich logisch.

Und was gefällt Jesus nicht? Was möchte er denn von uns? Was ist sein Gebot? Jesus sagt es selbst: „Dies ist mein Gebot: Ihr sollt einander so lieben, wie ich euch geliebt habe" (Johannes 15,12). Da stecken zwei Sachen drin:

Erstens: Jesus liebt uns! Wenn du diesen Bibelvers für dich selbst liest, dann kannst du erst mal feststellen, dass Jesus dich persönlich lieb hat! Das ist doch wie ein kleiner Freundschaftsbrief von Jesus an dich.

Zweitens: Du kannst Jesus deine Freundschaft zeigen, indem du andere Menschen liebst – also nett behandelst. Wenn du anderen hilfst oder ihnen etwas Gutes tust, dann ist es so, als ob du Jesus das Gute tust. Er freut sich darüber.

Nächste Frage: Wie wird man denn ein Freund von Jesus? Zum Beispiel, indem man ihm sagt: „Jesus, ich möchte gern deine Freundin sein." Das kann der Anfang einer Freundschaft sein.

Was gehört noch zu einer Freundschaft?

* Sich verabreden.

Wenn du dir immer wieder (am besten sogar jeden Tag) Zeit nimmst, um mit Jesus zu reden (im Gebet) und um in der Bibel zu lesen (sozusagen die Freundschaftsbriefchen von Jesus an dich), dann verbringst du ja wirklich Zeit mit ihm. Das ist wie eine Verabredung. Wenn du in den Gottesdienst, in den Kindergottesdienst oder in andere Kindergruppen gehst, in denen es um Jesus geht, dann ist das auch wie eine Verabredung. So bleibt eine Freundschaft immer frisch und lebendig.

* Miteinander reden.

Wenn du betest, redest du mit Jesus. Erzähl ihm, was dich freut. Berichte ihm von deinen Sorgen. Sag ihm, worüber du gerade nachdenkst. Dein Freund Jesus hört dir zu. Und Jesus? Wie redet er zu dir? Zum Beispiel durch die Bibel. Beim Bibellesen erfährst du, was er über dich und über die Welt denkt.

* Einander helfen.

Das hab ich schon gesagt: Du „hilfst" Jesus, indem du anderen hilfst. Du tust Jesus Gutes, indem du anderen Gutes tust. Und Jesus? Er tut dir Gutes, vielleicht durch andere Menschen. Sicher hast du schon erlebt, wie Jesus dir geholfen hat. Das hat er getan, weil er dein Freund ist. Ja, ich weiß, Jesus hilft nicht immer und überall. Aber das sollte dich nicht entmutigen. Freu dich über die vielen Situationen, in denen Jesus dir bereits geholfen hat.

* Einander vertrauen.

In deinem Fall bedeutet das: Vertrau Jesus, dass er es gut mit dir meint. Und dass er dein Freund bleibt, auch wenn du dich selbst nicht immer so verhältst, wie du es gerne tun würdest. Vertrau ihm, dass er bei dir ist, auch wenn es dir gerade schlecht geht und du nicht weiterweißt. Vertrau Jesus, dass er einen Ausweg kennt, auch da, wo du keinen siehst. Das ist nicht immer leicht. Aber du kannst ihm vertrauen.

* Einander nette Dinge sagen.

Das kannst du im Gebet tun. Sag Jesus, was du an ihm gut findest. Und Jesus sagt dir Nettes in der Bibel. Zum Beispiel in diesem Bibelvers: „Ich habe nie aufgehört, dich zu lieben. Ich bin dir treu wie am ersten Tag" (Jeremia 31,3).

Das alles sind Tipps, die dir helfen können, deine Freundschaft zu Jesus zu pflegen und zu erhalten. Aber bitte sieh es nicht als einen Katalog von Aufgaben an, den du abarbeiten müsstest. Deine Freundschaft mit Jesus beginnt, wenn du es ihm gesagt hast. Alles andere sind Versuche, sich die Freundschaft mit Jesus bewusst zu machen und zu erhalten.

Alles klar? Dann wünsche ich dir viele gute Erfahrungen und Erlebnisse mit deinem Freund Jesus.

Dein Harry

Melina, 12

Ich weiß nicht, ob ich noch eine Freundin von Jesus bin. Ich lese nicht mehr so viel in der Bibel wie früher und denke nicht so oft an Jesus. Ist Jesus jetzt sauer auf mich? Bin ich vielleicht nicht mehr seine Freundin?

Liebe Melina, wenn du einmal eine Freundin von Jesus geworden bist, dann besteht die Freundschaft zumindest aus der Sicht von Jesus immer noch. Jesus hat keinen Anlass, deine Freundschaft zu kündigen.

Wie beendet man denn eine Freundschaft? Zum Beispiel, indem man dem anderen sagt: „Ich will nicht mehr deine Freundin sein." Hast du das schon mal zu Jesus gesagt? Nein? – Okay. Jesus sagt das zu dir auch nicht.

Jesus ist nicht sauer auf dich. Jesus ist dein Freund. Wenn dein Gewissen wegen irgendetwas belastet ist, dann sprich mit Jesus darüber. Sag es ihm und bitte ihn um Entschuldigung. Er wird dir immer wieder vergeben. Denn er ist ja dein Freund. Er ist auch nicht enttäuscht von dir, wenn du es ihm erzählst. Er weiß es doch sowieso schon. Und er wartet nur darauf, dass du es ihm anvertraust.

Du sagst, dass du länger nicht mehr mit Jesus gesprochen hast und deswegen denkst: Jetzt ist unsere Freundschaft bestimmt kaputt.

Ist sie aber nicht. Sie ist höchstens ein bisschen eingeschlafen oder locker geworden. Wie bei einer Freundin, die man zuerst jeden Tag sieht und plötzlich lange nicht mehr. Wenn man sich nach einiger Zeit verabredet, fühlt man sich erst mal ein bisschen fremd und komisch. Aber wenn man sich dann öfter trifft, wird die Beziehung wieder wie früher.

Also mach dir keine Sorgen. Wenn du eine Freundin von Jesus sein willst, dann sprich mit ihm, freu dich über ihn, freu dich über andere Menschen, freu dich über die Bibel. Jesus steht mit offenen Armen da und wartet auf das nächste Treffen mit dir. Wenn du willst, jetzt sofort.

Ich wünsch dir alles Gute und viele tolle Erlebnisse mit deinem Freund Jesus!

Dein Harry

Paula, 12

Viele Kinder sagen, dass sie sich frei von Sünde fühlen, nachdem sie Gott um Vergebung gebeten haben. Bei mir ist das nicht so! Aber ich möchte das freie Gefühl auch einmal haben. Was mache ich falsch?

Liebe Paula,

zunächst solltest du wissen: Entscheidend dafür, ob Jesus dir wirklich vergeben hat, ist nicht das, was du fühlst, sondern das, was in der Bibel steht. Unser Gefühl betrügt uns leider sehr oft. Wir haben manchmal das Gefühl, jemand hat etwas gegen uns, obwohl das gar nicht stimmt. Oder wir fühlen uns plötzlich groß und stark, weil wir von Leuten gelobt worden sind, die wir sehr schätzen. In Wirklichkeit sind wir vielleicht weder groß noch stark. Und so weiter.

Unser Gefühl darf also nicht ausschlaggebend sein. Was dann? Ganz einfach: die Bibel. Sie hat recht. Sie betrügt uns nicht. Jesus hat gesagt: „Himmel und Erde werden vergehen, aber meine Worte vergehen nicht" (Matthäus 24,35). Auf das, was in der Bibel steht, kannst du dich also hundertprozentig verlassen.

Was sagt die Bibel über Vergebung?

David hat zu Gott gebetet: „HERR, erst wollte ich meine Schuld verschweigen; doch davon wurde ich so krank, dass ich von früh bis spät nur stöhnen konnte. [...] Darum entschloss ich mich, dir meine Verfehlungen zu bekennen. Was ich getan hatte, gestand ich dir; ich verschwieg dir meine Schuld nicht länger. Und du – du hast mir alles vergeben!" (Psalm 32,3.5).

Der Prophet Jesaja sagt: „Wer seine eigenen Wege gegangen ist und sich gegen den HERRN aufgelehnt hat, der lasse von seinen bösen Gedanken und kehre um zum HERRN, damit er ihm vergibt! Denn unser Gott ist reich an Güte und Erbarmen" (Jesaja 55,7).

Und Johannes schreibt ausdrücklich auf: „Wenn wir aber unsere Verfehlungen eingestehen, können wir damit rechnen, dass Gott

treu und gerecht ist: Er wird uns
dann unsere Verfehlungen vergeben und uns von aller Schuld
reinigen" (1. Johannes 1,9).

Diese Bibelstellen zeigen
(und es gäbe noch mehr):
Wenn du Gott deine Schuld
eingestanden hast, dann hat er dir vergeben.
Punkt, Ende. Das ist so, weil es in der Bibel steht und weil Gott uns
nicht anlügt. Und wenn Gott dir vergeben hat, dann kannst du dich
auch darauf freuen, einmal für immer bei ihm zu sein.

Beispiel gefällig? „Vor dem Gericht Gottes gibt es also keine Verur-
teilung mehr für die, die mit Jesus Christus verbunden sind" (Römer
8,1); „Gott hat der Welt seine Liebe dadurch gezeigt, dass er seinen
einzigen Sohn für sie hergab, damit jeder (jeder heißt: auch du, Paula), der an ihn glaubt, das ewige Leben hat und nicht verloren geht"
(Johannes 3,16).

*Dass du dich nach dem Gebet um Vergebung immer noch nicht besonders
frei fühlst, kann auch andere Gründe haben.*
Zum Beispiel:

Du bist einfach ein Mensch, der weniger „Gefühlsausbrüche" hat als
andere. Manche können ja dauernd rufen: „Ich fühl mich so toll!",
oder: „Ich fühl mich so traurig!" Andere leben eher von einem Tag
zum anderen, ohne dass sie in besonderer Weise von ihren Gefühlen
bestimmt werden. So etwas ist Typsache und darum ganz normal.
Falls du so jemand bist, sag dir: „Ich bin ganz normal!"

Du selbst hast dir nicht vergeben. Du machst dir immer noch Vorwürfe und sagst dir: „Ich bin ein Versager!" Ist das so? Dann solltest
du anfangen, dir selbst zu sagen: „Gott hat mir vergeben, jetzt will ich
mich auch wieder annehmen und mir vergeben."

* Du bist nicht nur Gott gegenüber schuldig geworden, sondern auch anderen Menschen gegenüber, und du hast immer noch ein schlechtes Gewissen gegenüber diesen Personen. Ist das so? Dann müsste neben dem Gebet auch noch ein Gespräch mit den entsprechenden Leuten folgen. Du solltest dich bei ihnen entschuldigen. So kannst du aus der Welt schaffen, was zwischen dir und anderen Menschen liegt.

* Die Schuld, die dich belastet, wiegt so schwer, dass sie dich immer noch bedrückt. Ist das so? Dann solltest du mit einem Menschen, dem du vertraust, darüber reden. Manchmal ist es einfach wichtig, dass man die eigene Schuld auch vor einem Menschen beim Namen nennt.

* Du hast grundsätzlich viele schlechte Gedanken über dich. Du denkst, du machst es anderen nicht recht; du denkst, andere mögen dich nicht; manchmal magst du dich auch selbst nicht; du findest dich vielleicht sogar hässlich und doof und verstehst gar nicht, dass andere dich mögen. Ist das bei dir der Fall? Dann solltest du unbedingt daran arbeiten. Dein Problem liegt in diesem Fall nicht bei der Vergebung! Du solltest mit Leuten, die dir nahestehen, reden – mit deinen Eltern, deinen Freundinnen, deinen Jungscharmitarbeitern. Sie sollen dir zeigen, wie wertvoll du bist und dass es schön ist, dass du auf der Welt bist.

*Alles klar? Dann wünsche ich dir,
dass du dich so bald wie möglich wieder froh und frei fühlen kannst.
Für heute herzliche Grüße*

*dein
Harry*

Moritz, 8

Was bedeutet eigentlich „Taufe"?

Lieber Moritz,

die Taufe wird in der Bibel zum ersten Mal im Neuen Testament erwähnt. Ein Mann mit Namen Johannes begann, den Menschen in Israel zuzurufen: „Ändert euer Leben! Kehrt zu Gott um!" Die Menschen, die sich wieder Gott zuwenden wollten, ließen sich von Johannes im Jordan (das ist der Fluss in Israel) kurz untertauchen. Dieses Zeichen bedeutete: So, wie ich mich jetzt äußerlich rein gewaschen habe, so hat Gott mich auch innerlich reingewaschen und mir alle Schuld vergeben. (Das kannst du zum Beispiel in Markus 1,2-7 nachlesen.) Weil Johannes die Menschen getauft hat, gab man ihm den Beinamen „der Täufer".

Später hat Jesus seinen Jüngern den Auftrag gegeben, auf der ganzen Welt Menschen zu seinen Nachfolgern zu machen. Dazu gehört, sie zu taufen und ihnen alles beizubringen, was sie von Jesus gelernt haben (Matthäus 28,18-20). Bei der Taufe wurden Menschen in einem Fluss oder See ganz untergetaucht.

Seitdem lassen sich Menschen, die die Vergebung von Jesus annehmen und sich von Gott ihre Schuld vergeben lassen wollen, taufen. Sie sagen damit: So, wie ich jetzt im Wasser untertauche, will Gott mich innerlich ganz und gar von Schuld reinigen. Dieses Angebot von Gott möchte ich heute annehmen. (Beispiele dafür findest du in der Apostelgeschichte, zum Beispiel in Kapitel 8,26-38.)

In der evangelischen und in der katholischen Kirche werden heute meistens schon kleine Babys getauft. Die haben sich natürlich noch nicht dafür entschieden, Jesus nachzufolgen. Hier hat die Taufe die Bedeutung: Gott liebt dieses Kind bedingungslos. Er möchte es segnen, begleiten und ihm seine Liebe zusagen. Das alles wird dem Kind bereits als Baby zugesprochen. Die Eltern und Paten verpflichten sich dazu, das Kind im Glauben zu erziehen, damit es später, wenn es älter geworden ist und selbst entscheiden kann, mit fester Überzeugung sein eigenes Ja zu Gott und zur Taufe geben kann. Die Kommunion in der katholischen Kirche und die Konfirmation in der evangelischen Kirche bilden den feierlichen Rahmen, in dem die Getauften öffentlich ihre Taufe bestätigen und annehmen.

Die meisten freikirchlichen Gemeinden legen Wert darauf, dass einer Taufe stets eine persönliche Entscheidung zur Nachfolge vorangegangen sein muss. Sie taufen deshalb nur Menschen, die die Vergebung von Jesus angenommen haben.

Viele Grüße von

Lucy, 12

Ich wurde als Baby getauft und bin später erst Christ geworden. Würde es sich lohnen, wenn ich mich noch einmal taufen lasse?

Liebe Lucy,

mit deiner Taufe als Baby wollten deine Eltern und deine Paten verdeutlichen, dass Gott sein bedingungsloses Ja zu dir sagt (siehe Seite 125–126). Er streckt seine Hände nach dir aus und möchte dir dein Leben lang zur Seite stehen.

In der evangelischen und katholischen Kirche ist es nicht üblich, sich danach noch einmal taufen zu lassen. Die Feier der Konfirmation bzw. Kommunion gibt dem Kind oder Jugendlichen die Möglichkeit, nun selbst Ja zu Gott zu sagen. Hier stellt die Kindertaufe den Anfang eines Weges mit Gott dar. Die persönliche Entscheidung für Jesus kann die getaufte Person später treffen, wenn sie das selbst will und verstanden hat.

Wenn du als Kind getauft worden bist und dich jetzt ganz bewusst für Jesus entschieden hast, ist diese Reihenfolge innerhalb der Landeskirche normal und genau so gewollt.

In freikirchlichen Gemeinden ist es üblich, sich erst dann taufen zu lassen, wenn man für sich persönlich die Entscheidung

getroffen hat, zu Jesus zu gehören. In diesem Fall spricht man von der „Glaubenstaufe".

In der Bibel waren es vorwiegend Erwachsene, die sich taufen lie-ßen – und zwar immer, nachdem sie Jesus kennengelernt hatten und zu ihm gehören wollten.

Es gibt Menschen, die bereits als Kind getauft wurden und später, wenn sie Christen werden, diese Entscheidung mit der Taufe öffent-lich machen wollen. Sie sagen damit: So, wie ich jetzt im Wasser un-tertauche, will Gott mich innerlich ganz und gar von Schuld reinigen. Dieses Angebot von Gott möchte ich heute annehmen. Darum lassen sie sich noch einmal taufen. Damit machen sie gleichzeitig deutlich, dass sie ihre Kindertaufe nicht als wirkliche Taufe gelten lassen.

Andererseits gilt deine Entscheidung für Jesus auch ganz ohne Taufe. Und dass er dich angenommen hat, steht sowieso schon lange fest.

Wenn du in einer freikirchlichen Gemeinde zu Hause bist, in der üblicherweise die Glaubenstaufe praktiziert wird, dann möchtest du vielleicht mit deiner Taufe dir und deiner Gemeinde noch einmal öffentlich zeigen: Ja, ich gehöre jetzt ein für alle Mal zu Jesus und möchte mich von ihm reinwaschen lassen. Dann kann eine Taufe gut und sinnvoll sein. Sie hat ja jetzt eine andere Bedeutung bekommen (als Kind: Gott sagt Ja zu dir; jetzt: Du sagst Ja zu Gott). Ob sich das „lohnt", kannst allein du beantworten. Vor Gott stehst du mit oder ohne Taufe nicht besser da. Er liebt dich und freut sich über deine Entscheidung für ihn. Ob es dir persönlich wichtig ist, das musst du für dich herausfinden und beantworten.

Ich wünsche dir, dass du mit Gott zusammen den richtigen Weg für dich herausfindest!

Dein *Harry*

Pia, 10

Im Kindergottesdienst hat jemand gesagt, dass man nur in den Himmel kommt, wenn man getauft ist. Stimmt das?

Liebe Pia,

es gibt Bibelstellen, in denen die Taufe ganz eng mit der Rettung und „in den Himmel kommen" verbunden ist. In Markus 16,16 sagt Jesus: „Wer zum Glauben kommt und sich taufen lässt, wird gerettet. Wer nicht glaubt, den wird Gott verurteilen." Und in Apostelgeschichte 2,38 ruft Petrus seinen Zuhörern an Pfingsten zu: „Kehrt jetzt um und lasst euch taufen auf Jesus Christus [...] Dann wird Gott euch eure Schuld vergeben und euch seinen Heiligen Geist schenken."

Es gibt aber auch viele Bibelstellen, in denen von einer Umkehr zu Gott und Buße die Rede ist, ohne dass dabei die Taufe erwähnt wird. Bekanntestes Beispiel: „Gott hat der Welt seine Liebe dadurch gezeigt, dass er seinen einzigen Sohn für sie hergab, damit jeder, der an ihn glaubt, das ewige Leben hat und nicht verloren geht" (Johannes 3,16). Hier steht nicht, dass die Taufe unbedingt dazugehört.

Was heißt das jetzt? Jesus hat ausdrücklich die Taufe befohlen. Er hat seinen Jüngern gesagt, sie sollen die Menschen zu Jüngern machen und im Namen des Vaters und des Sohnes und des Heiligen Geistes taufen (Matthäus 28,19). Taufe ist also etwas Wichtiges. Taufe ist auch ein Bekenntnis nach außen, mit dem der Christ zeigt: „Schaut her, so wie ich mich jetzt symbolisch mit Wasser äußerlich rein wasche, so habe ich mich von Jesus auch innerlich reinwaschen lassen."

Dass Jesus später Christen aus dem Himmel ausschließt, die zwar an ihn glauben, aber aus irgendwelchen Gründen nicht getauft sind, kann ich mir kaum vorstellen. Aber eine eindeutige Bibelstelle, in der so was steht wie: „Auch wenn du nicht getauft bist, drückt Jesus ein Auge zu und lässt dich in den Himmel kommen", gibt es nicht.

Was ist zum Beispiel mit der Oma, die sich kurz vor ihrem Tod auf dem Sterbebett bekehrt und nicht getauft wird? Wird sie gerettet oder nicht? Ich würde sagen: Ja. Als ein Verbrecher, der zusammen mit Jesus gekreuzigt wurde, zu Jesus sagte: „Denk an mich, wenn du in dein Reich kommst", antwortete Jesus: „Noch heute wirst du mit mir zusammen im Paradies sein" (Lukas 23,43). Der Verbrecher ist auch nicht getauft worden.

In den großen Kirchen werden die Kinder als Säuglinge getauft. Kommen diese Menschen in den Himmel, auch wenn sie sich gar nicht Jesus zugewandt haben? Wenn es Jesus nur um die Taufe ginge, könnte man das ja glatt vermuten. In diesem Fall wäre die Taufe fast so etwas wie eine „magische Handlung", bei der der persönliche Glaube gar keine Rolle spielt.

In anderen Gemeinden werden die Kinder erst als Jugendliche getauft.

Was aber ist, wenn einer schon Christ ist, aber einen Tag vor seiner Taufe stirbt? Ist der nicht gerettet? Das wäre doch auch merkwürdig, oder?

Was ist mit geistig Behinderten, die nie kapieren können, was Jesus für sie getan hat? Werden die gerettet? Mit oder ohne Taufe? Wäre das für Gott ein Unterschied?

Es ist schwierig, eine eindeutige Bibelstelle zu präsentieren, die die allgemein richtige Antwort gibt. Daher wird die Taufe von Gemeinde zu Gemeinde unterschiedlich gehandhabt. Manche taufen ausschließlich Erwachsene; manche taufen erst, wenn man Gemeindemitglied ist; manche taufen jederzeit, sobald man sich taufen lassen will, auch wenn man erst fünf Jahre alt ist – Hauptsache, man entscheidet es selbst. Und manche taufen eben gleich die Säuglinge.

Grundsätzlich glaube ich: Gott ist gerecht und er wird auch in seinem Gericht gerecht urteilen. Und Gott ist gnädiger als unsere kleinkarierte Vorstellung von Richtig und Falsch. Das würde ich mal sagen.

Für heute herzliche Grüße *dein* Harry

Lena, 15

Wie kann Gott in meinem Alltag mehr Platz bekommen? Meine Konfirmandenstunden haben mir immer total viel Spaß gemacht und wir sind jede Woche zur Kirche gegangen. Seit der Konfirmation ist das leider vorbei. Ich vermisse Gott ziemlich, obwohl ich abends oft in der Bibel oder meinem Konfirmandenheft lese.

Liebe Lena, was du schilderst, kann ich gut verstehen. Am liebsten würde ich jetzt in deinem Ort wohnen und mit dir zusammen auf die Suche gehen, wie und wo du Beziehungen zu anderen Christen knüpfen kannst und dort weiter im Glauben dazulernst. Da das ja leider nicht geht, versuche ich, dir ein paar Tipps zu geben, wie du deinen Glauben auch zu Hause vertiefen kannst.

Beten Das tust du sicher schon. Ich möchte dich ermutigen, damit einfach weiterzumachen. Bleib dran an Gott. Er ist dir ganz nah, auch jetzt, während du das hier liest. Und du kannst jederzeit mit ihm reden. Vielleicht hast du feste Zeiten, in denen du betest. Zum Beispiel, wenn du abends im Bett liegst. Dann kannst du Gott im Gebet von deinem Tag erzählen. Du kannst ihm für alles Schöne, das du erlebt hast, danken und ihm auch die Dinge erzählen, die dich vom Tag noch belasten. Bitte ihn auch, dass er dir Christen in deiner Umgebung zeigt, mit denen du dich treffen kannst, um weiter über Gott zu reden und zusammen zu beten.

Bibel lesen In der Bibel teilt sich Gott dir mit. Du schreibst, dass du immer mal wieder in der Bibel oder in deinem Konfirmandenheft liest. Aber irgendwann steht in diesem Heft nichts Neues mehr für dich. Und in der Bibel ohne Anleitung zu lesen, kann dich zwar weiterbringen, aber Tipps und Ideen zum Bibellesen sind auch eine gute Sache. Es gibt zahlreiche Bibellese-Hilfen für jedes Alter. „Pur" zum Beispiel ist eine Bibellese-Zeitschrift für Teenager vom Bibellesebund. Da ist für jeden Tag eine Bibelstelle vorgeschlagen, die du in deiner Bibel lesen kannst. Zu diesem Bibeltext gibt es in „Pur" eine Erklärung, damit du sehen kannst, was die Bibel mit deinem Leben, mit deinem Alltag zu tun hat.

Gemeinschaft mit anderen Christen Finde heraus, ob es in deinem Ort oder in deiner näheren Umgebung eine Möglichkeit gibt, sich mit anderen Teens in deinem Alter zu treffen. Frag doch mal den Pfarrer, ob es eine Jugendgruppe, einen Teenkreis oder etwas Ähnliches gibt, wo du mit anderen über die Bibel reden könntest. Bestimmt gibt es noch mehr Leute, die sich wie du fragen, mit wem sie sich treffen könnten.

Vielleicht gibt es auch andere Gemeinden in deinem Ort: eine Freie evangelische Gemeinde, eine Baptistengemeinde, eine christliche Versammlung – irgendwas, wo sich Leute regelmäßig treffen. Frag einfach nach oder schau im Internet.

Es gibt sogar Schulen, an denen sich Christen zum Beten und Bibellesen in sogenannten Schülerbibelkreisen treffen. Wie ist das an deiner Schule? Wer könnte darüber Bescheid wissen? Es wäre doch gelacht, wenn du nicht irgendwo noch eine zweite Verbündete finden würdest, die wie du mit Gott leben möchte und die dich mal mitnehmen kann in ihren Kreis, in ihre Gruppe oder was auch immer.

Natürlich kann man sich zur Not auch allein mit der Bibel hinsetzen. Aber die Gefahr, dass der Glaube irgendwann einschläft, ist größer, wenn man allein ist. Darum gibt es ja all die christlichen Kreise, in denen man sich gegenseitig Mut macht.

Eine andere Möglichkeit könnte auch sein, dass du in den Ferien auf eine christliche Freizeit fährst. Da findest du auch Christen in deinem Alter, die miteinander ihren Glauben teilen. Aber das ist auch nur ein Notbehelf, denn *eine* Freizeit im Jahr als einzige Treff-Möglichkeit ist schon ziemlich wenig. Aber immerhin besser als nichts.

Viel Erfolg beim Suchen wünscht dir dein Harry

Annika, 12

In unserer Familie gibt es keinen Frieden mehr. Ständig schreit jemand. Meine Geschwister und ich prügeln uns und machen uns gegenseitig fertig. Ich bemühe mich sehr und bete oft, dass Gott mir hilft, durchzuhalten und freundlich zu sein. Nichts klappt! Was kann ich tun?

Liebe Annika,

gleich als Erstes muss ich dir sagen, dass ich dir und deiner Familie vielleicht gar nicht helfen kann. Dazu kenne ich euch viel zu wenig und weiß auch nicht, wie euer Streit entsteht und wo das eigentliche Problem liegt. Am liebsten würde ich zu euch nach Hause fahren, würde einen Tag (oder eine Woche) mit euch leben und mir anschauen, wie ihr lebt und wie der Streit anfängt. Und dann könnte ich versuchen, dir und den anderen Tipps zu geben, wie ihr an eurem Verhalten arbeiten könnt. So, wie du das schilderst, kann ich leider auch nur Vermutungen anstellen. Und dazu nun ein paar kleine Tipps.

Das Erste tust du ja sowieso schon: Du kannst weiter mit Gott darüber reden und du kannst an dir arbeiten. Frieden fängt immer bei dir selbst an. Nicht umsonst hat Jesus gesagt: „Liebt auch die, die euch gemein behandeln." Frieden fängt da an, wo man aufhört, das Böse immer weiter zu tun, sich immer wieder zu rächen und dem anderen alles heimzuzahlen.

Wenn deine Geschwister dich ärgern, dann entscheide dich dafür, dich nicht mehr darüber zu ärgern. Geh in dein Zimmer (oder in eine andere Ecke, in der du für dich allein bist) und schrei da. Oder sing. Oder bete. Oder schmeiß dein Kissen an die Wand. Egal, Hauptsache, du schreist und schlägst nicht auf deine Geschwister ein. Sonst wird alles nur noch schlimmer.

Falls dir die anderen etwas so Gemeines antun, dass es dir schwerfällt, darüber hinwegzusehen, dann trau dich ruhig, es deinen Eltern zu sagen. Nicht weil du eine Petze bist, sondern weil du mit dem Streit und der Ungerechtigkeit überfordert bist. Die Eltern sollen dann auch nicht bloß die Geschwister bestrafen oder anschimpfen, sondern zusammen mit dir nach Lösungen suchen.

Bete für die anderen aus deiner Familie. Überleg dir, was sie liebenswert macht. Falls dir nichts einfällt, streng dich an, etwas Gutes über sie herauszufinden. Beobachte sie einen Tag lang daraufhin, warum sie eigentlich ganz nett sind. Und dann danke Gott dafür. Danke ihm für die netten, wertvollen Menschen in deiner Familie. Du wirst sehen: Mit der Zeit findest du sie auch nett und wertvoll.

Und hör auf, von dir aus die anderen zu provozieren. Wenn sie spielen, lass sie einfach. Wenn sie Besuch haben, lass sie in Ruhe.

Wenn deine Geschwister etwas tun, womit sie (deiner Meinung nach) wichtige Regeln gebrochen haben, versuch, mit ihnen Abmachungen zu treffen. Zum Beispiel: Wann dürfen sie deine Spiele ausleihen? Wann dürfen sie in dein Zimmer? Wann dürfen sie deine Sachen anziehen? Daran sollen sie sich halten. Und wenn es mal nicht so gut klappt, dann weise sie darauf hin, aber schrei sie nicht gleich an.

Genauso kannst du deinen Eltern sagen, was dich an ihrem Verhalten verletzt und was du dir anders wünschst. Wichtig: Fang damit an, wenn ihr euch gerade mal nicht streitet, sondern wenn ihr friedlich zusammensitzt. Du könntest so beginnen: „Ich hab darüber nachgedacht, warum wir so viel streiten." Und dann kannst du erzählen, was dir an dir selber aufgefallen ist (Selbsterkenntnis macht immer einen guten Eindruck) und was du dir von den anderen wünschst, wie sie dich behandeln sollen. In einer entspannten Atmosphäre lässt sich so was viel leichter besprechen.

Am einfachsten und wirkungsvollsten ist es, wenn alle an einem Strang ziehen. Wie ist das in eurer Familie: Denken die anderen genau wie du, dass ihr zu viel streitet? Finden deine Eltern und Geschwister auch, dass es nicht gut ist, wie ihr miteinander umgeht? Wenn das so ist, habt ihr gute Chancen, Dinge zu verändern. Dann bist du nicht mehr die Einzige, die etwas ändern möchte. Dann wollen es im Grun-

de alle. Auch wenn es schwer wird. Aber dafür ist die Voraussetzung schon mal sehr gut. Dann setzt euch alle miteinander an einem freien Nachmittag, vielleicht am Sonntag, an einen Tisch und redet darüber, was ihr euch in eurer Familie wünscht. Verabredet vorher, dass jeder den anderen ausreden lässt und ernst nimmt und nicht sofort wieder losbrüllt. Und keiner darf einen anderen beleidigen. Sagt nicht: „Immer machst du ...", sondern: „Ich wünsche mir ...", oder: „Mir geht es so ...", oder: „Bei mir kommt das so an ..."

Eine gute Idee für die Zeit, wo ihr zusammensitzt: Jeder soll zu jedem Familienmitglied drei Dinge finden, die er an ihm mag. Sprecht diese Sachen laut vor den anderen aus! Danach merkt man oft, dass die Familie im Grunde ja doch zusammenhält und sich lieb hat. Anschließend kann man darüber reden, wie ein Streit entsteht. Jetzt kann jeder sagen, worüber er sich beim anderen ärgert. Vielleicht findet ihr sogar einen Weg, wie man das ändern kann.

Wenn zum Beispiel Mama sagt: „Mich ärgert, dass Annika immer so spät aufsteht und dann nicht die Kurve kriegt, um zur Schule zu gehen", dann gibt es zwei Möglichkeiten:

1. Mama beschließt, sich einfach nicht mehr darüber zu ärgern und Annika zu spät kommen zu lassen, wenn sie nicht rechtzeitig fertig wird.

2. Annika beschließt, sich zu bemühen, früher aufzustehen. Vielleicht fällt einem anderen Familienmitglied sogar ein Tipp ein, wie man morgens besser wach wird.

Diese Lösungsfindung kann man auf jeden Punkt der Familie übertragen: Wer darf wann in welchem Kinderzimmer spielen? Wer entscheidet über das Fernsehprogramm? Und so weiter. Man kann ganz einfache Regeln aufstellen, an die sich dann jeder zu halten versucht. Jede Woche gibt es einen gemeinsamen Termin (an dem alle entspannt sind und nicht gestresst aus der Schule oder von der Arbeit kommen), an dem man darüber redet, wie die letzte Woche gelaufen ist.

Und ganz wichtig: Betet ganz viel miteinander. Nicht nur jeder für sich in seinem Zimmer, sondern alle zusammen. Und nicht nur „Danke fürs Mittagessen" und „Lass uns heute Nacht gut schlafen", sondern auch ganz konkret für eure Familie. Für Veränderung. Dafür, dass Jesus in eurer Mitte ganz groß wird.

Halte dich an der Hoffnung fest: Jesus kann Menschen verändern. Er kann als Erstes dich verändern, damit du liebevoller auf die anderen zugehen und sie so sehen kannst, wie Gott sie sieht. Und er kann die anderen verändern, damit auch sie dich respektieren.

Ich wünsche euch ganz viel Durchhaltevermögen, ganz viel Kraft, Geduld und Liebe füreinander und ganz viel Zeit und Mut zum Gebet. Lass dich ganz herzlich grüßen von Harry

Jule, 10

Ein Mädchen in meiner Klasse hat einen Glücksstein.
Wie soll ich damit umgehen?

Liebe Jule,

ganz viele Leute haben irgendwelche
Gegenstände, von denen sie sich Glück
versprechen. Auch Sportler
haben oft einen Glücks-
bringer bei sich, seien
es bestimmte Klei-
dungsstücke, Schmuck,
Stofftiere oder an-
deres. Glückssteine
haben denselben
Zweck: Sie sollen dem,
der ihn besitzt, Glück, Liebe, Erfolg,
Gesundheit oder Ähnliches bringen.

Das ist natürlich totaler Aberglaube. In einem Stein steckt keine Kraft.
Aber wenn die Leute fest daran glauben und sich mithilfe dieses Stei-
nes ständig einreden: „Ich schaff das, ich schaff das", dann erreichen
sie wirklich manches, das sie ohne den Stein nicht gekonnt hätten.
Was ihnen dabei geholfen hat, ist aber nicht der Stein, sondern der
Glaube an ihre eigene Kraft.

   Nun wolltest du wissen, wie du damit umgehen sollst, dass jemand
aus deiner Klasse so einen Glücksstein besitzt. Hm. Ich würde sagen,
solange dich niemand dazu auffordert, dir auch so einen Stein zuzu-
legen, musst du ja gar nicht damit umgehen.

Denkst du denn, du müsstest dieses Kind jetzt warnen? Wenn du
den Mut dazu hast, kannst du das natürlich tun. Erkläre, dass in einem Stein keine Kraft, keine Energie und kein Glück stecken können.

Deshalb kann der Stein auch kein Glück weitergeben. Du kannst auch erzählen, woher du deine Kraft bekommst und von wem du dir Hilfe erhoffst – nämlich von Gott, der die Menschen und auch alle Steine geschaffen hat.

Wenn du dich das nicht traust, finde ich das auch okay. Natürlich hat Jesus gesagt, wir sollen von unserem Glauben weitererzählen. Das sollte dir aber keinen Druck machen. Für deine Klassenkameraden ist es ja auch schon ein sichtbares Zeichen deiner Einstellung, dass du dich nicht daran beteiligst, wenn andere Kinder diesen Glücksstein bewundern und sagen: „Zeig mal!", „Gib mal!", „Darf ich den auch mal haben?" Und wenn dich jemand fragt: „Hast du auch einen Glücksstein?", oder: „Möchtest du diesen Stein für die nächste Klassenarbeit ausleihen?", dann kannst du ja immer noch sagen: „Ich glaub nicht an die Kraft von Glückssteinen."

Ansonsten würde ich sagen: Lass die Kinder mit den Glückssteinen einfach in Ruhe. Solange du dir nicht selbst einen Glücksbringer zulegst, musst du dir keine Gedanken machen. Du hast Jesus auf deiner Seite – der gibt dir das größte Glück, das man sich denken kann: Vergebung und ewiges Leben.

Alles Gute und herzliche Grüße

dein
Harry

Lina, 12

Ich bin in einer christlichen Familie aufgewachsen. Deshalb ist es für mich nicht mehr etwas so Besonderes, dass Jesus für meine Schuld gestorben ist. Wie kann ich fester glauben und die Geschichte mit Jesus am Kreuz neu erkennen und erfahren?

Liebe Lina,

mit deiner Frage stehst du nicht allein da. Ganz viele Christen fragen sich dasselbe wie du. Besonders die, die in einer christlichen Familie groß geworden sind und nie anders gelebt haben als mit Jesus. Für die wird der Gedanke, dass Jesus für uns gestorben ist, immer normaler. Und man wundert sich gar nicht mehr oder regt sich nicht mehr auf und ist auch nicht mehr so dankbar, wie es vielleicht jemand wäre, der frisch zum Glauben gekommen ist.

Mir geht es im Grunde auch so. Ich bin als Christ groß geworden. Und ich staune nicht jeden Tag neu darüber, was Jesus für mich getan hat. Aber ich glaube auch, dass wir uns deswegen nicht verrückt machen müssen. Jesus ist für uns am Kreuz gestorben. Für deine und meine Schuld. Dafür können wir Jesus immer wieder danken – mach das ruhig! Wenn dir das zu normal vorkommt, dann lies doch die Geschichte von der Kreuzigung noch mal in der Bibel durch. Dass man sich an diesen Gedanken irgendwann gewöhnt, ist nichts Schlimmes. Dadurch wird der Gedanke ja nicht falsch.

In einer Ehe ist es so ähnlich. Wenn ein Mann und eine Frau sich ineinander verlieben, können sie sich am Anfang kaum trennen und turteln wie die Täubchen. Aber nach ein paar Jahren legt sich dieses Verliebtsein. Trotzdem lieben sich die beiden noch. Sie haben sich aneinander gewöhnt, trotzdem wollen sie noch zusammenbleiben. Ist es denn falsch, wenn sie nicht mehr jeden Morgen aufwachen und kaum fassen können, dass sie sich gefunden und geheiratet haben? Nein. Es wäre nur falsch, wenn sie sich aus diesem Grund wieder trennen würden.

So geht es uns auch. Es ist nicht falsch, dass wir uns an den Gedanken gewöhnt haben, dass Jesus für uns gestorben ist. Es wäre nur falsch, aus diesem Grund nicht mehr an Jesus zu glauben. Damit wir fest im Glauben bleiben, müssen wir an Jesus dranbleiben, weiter zu ihm beten, weiter mit Christen zusammenkommen, weiter in der Bibel lesen. Das alles gehört dazu, damit man nicht im Glauben müde wird. Sonst kann es dazu kommen, dass man sich nicht nur daran gewöhnt hat, sondern obendrein auch nicht mehr daran glaubt.

Die Geschichte in der Bibel immer wieder zu lesen, ist schon mal ein Anfang. Mit anderen darüber zu reden, ist auch gut. Es gibt Filme, die einem das Karfreitags- und Ostergeschehen neu deutlich machen. Und manchmal überfällt einen auf einmal dieses Gefühl der Dankbarkeit ganz plötzlich, ohne dass man etwas dafür getan hat.

Jetzt wünsche ich dir jedenfalls von Herzen weiterhin schöne Entdeckungen in der Bibel, bei denen dir viel Altes wieder ganz neu wichtig wird!

Dein Harry

Ida, 12

Ich bin Christ, aber ich fühle mich oft schlecht: Ich raste immer total schnell aus, wenn mich meine Geschwister nerven, und schreie sie dann an. Was kann ich machen?

Liebe Ida,

ich finde es gut, dass du dir wünschst, nicht mehr so oft auszurasten und deine Geschwister anzuschreien. Das ist schon mal ein guter Anfang. Manchen fällt ja noch nicht mal auf, dass sie andere anschreien. Was könnte dir da helfen?

Eine Möglichkeit könnte sein, dass du dir jeden Abend überlegst: Bei welchen Gelegenheiten bist du heute ausgerastet? Was genau hat dich da so wütend gemacht? Was fällt dir jetzt am Abend ein, wie du dich besser hättest verhalten können? Hätte es manchmal vielleicht genügt, zu deinen Geschwistern zu sagen: „Lasst mich jetzt bitte in Ruhe, ich bin müde und genervt und ich brauch jetzt Zeit für mich allein. Nachher komm ich wieder zu euch"? Oder so ähnlich.

Mit ein bisschen Abstand fällt einem oft etwas Besseres ein. Schreib dir deine Ideen auf! Für dieses Mal ist es zu spät – aber nicht fürs nächste Mal. Du kannst dir vornehmen: Wenn morgen eine ähnliche Situation eintritt, sagst du das, was du dir heute überlegt hast.

Am nächsten Abend notierst du dir wieder: Was ist mir heute gut gelungen? Wo bin ich doch wieder ausgerastet? Was hat mich wütend gemacht? Wie hätte ich besser reagieren können? Und so machst du es dir zur Gewohnheit.

Eine zweite Möglichkeit könnte sein, dass du einige Zeit nach dem Streit – wenn du dich wieder beruhigt hast – zu deinen Geschwistern (oder wen auch immer du angeschrien hast) gehst und dich entschuldigst. Das ist schwer, ich weiß. Aber ein einfaches „Tut mir leid, dass ich vorhin so rumgeschrien hab" hat noch niemanden umgebracht. Und oft ist eine Entschuldigung die Tür zu einem Neuanfang.

Bei alldem kannst du immer deinen Freund Jesus um Beistand bitten. Sag ihm morgens, was du dir für den Tag vornimmst. Und besprich mit ihm abends, was gut war und was nicht. Sei dir gewiss, dass Jesus dir dafür keine Vorwürfe machen wird! Er kennt dich doch sowieso. Er kennt dein Herz und er leidet mit dir. Dich als „schlechten Christen" zu bezeichnen, hilft dir nicht weiter. Und das würde Jesus auch nicht tun. Jesus liebt dich und steht dir zur Seite. Er hilft dir, dich immer mehr zu seinem Ebenbild umzuformen. Jesus möchte dafür sorgen, dass du ihm ähnlicher wirst.

Kann sein, dass du denkst, du merkst nichts davon. Vielleicht geht die Veränderung ja so langsam vonstatten, dass du von einem Tag auf den anderen keinen Unterschied merkst. Aber von einem Jahr zum anderen eben doch. Weil du reifer wirst, vernünftiger, weil Jesus dich verändert.

Also: Mach dich bitte nicht als Christ so schlecht, nur weil du ein Mensch bist, der mal ausflippt. Das geht anderen genauso.

Viele Grüße von

Anna, 9

Ich habe das Gefühl, dass ich mich nicht mehr richtig freuen kann, da ich nur noch Berge sehe: Hausaufgaben, Klassenarbeiten ... Wie soll ich damit nur klarkommen?

Liebe Anna, das kann ich gut verstehen. Ich hab auch manchmal Berge voller Arbeit, voller Sorgen, voller unerledigter Dinge, die mich belasten. Dann möchte ich mich am liebsten unter der Bettdecke verkriechen und nie mehr rauskommen. Ich muss dabei an Petrus denken, der auf dem Wasser gegangen ist. Als er die Wellen sah, bekam er Angst und rief: „Hilfe, Jesus, ich ertrinke!" So geht es mir manchmal auch: Ich seh nur noch die Wellen um mich herum und meine, ich ertrinke. Ein Glück, dass Jesus trotzdem noch da ist, obwohl ich ihn in dem riesigen Meer an Aufgaben nicht sehe. Er hilft mir. Er beschützt mich vor dem Ertrinken. Und das wird er auch bei dir tun.

Kann sein, dass es Zeiten gibt, in denen alles auf einmal kommt. Dann bete umso mehr. Sag Jesus, dass er dir zur Seite stehen soll. Sag Jesus, dass du das Gefühl hast zu ertrinken.

Mir hilft es in solchen Situationen, wenn ich mir mehr Zeit für die Ruhe nehme. Wenn ich mich zwischendurch zurückziehe, bete und Jesus meine ganze Liste an schwierigen Sachen aufzähle. Dann krieg ich manchmal plötzlich einen freien Kopf. Und dann nehme ich mir eine einzige Sache vor, die ich ganz konzentriert angehe. Ich merke plötzlich, dass ich die anderen Sachen nach und nach abarbeiten kann. Nicht alles auf einmal. Das, was noch zu tun ist, schreibe ich auf, damit ich nichts vergesse. Dann sieht der Berg nicht mehr ganz so hoch aus.

Viele Menschen haben schon Psalm 121 gebetet: „Ich blicke hinauf zu den Bergen: Woher wird mir Hilfe kommen? Meine Hilfe kommt vom Herrn, der Himmel und Erde gemacht hat." Gott ist der Herr über alle Berge, die sich vor uns türmen. Er kann beim Sortieren helfen. Er kann beim Bergsteigen helfen. Er kann die Berge kleiner machen. Gott kann dir helfen! Rede mit ihm.

Ganz herzliche Grüße   *dein Harry*

Josefine, 12

In der Bibel steht ja, dass man von seinem Glauben erzählen soll. Aber ich bin eine eher stille Persönlichkeit. Ich rede schon über fast alles mit meinen Freunden, aber es kommt nie dazu, dass wir über Gott oder Jesus reden. Ehrlich gesagt, finde ich das auch gar nicht so schlimm. Ist das eine Sünde?

Liebe Josefine,

zunächst einmal: Du bist ein Kind und bist noch dabei zu lernen. Den Missionsbefehl hat Jesus erwachsenen Männern gegeben, die drei Jahre lang bei ihm in die Schule gegangen sind und viel von ihm gelernt haben. Wenn du als Kind wenig oder gar nicht von deinem Glauben redest, dann brauchst du dir nicht vorzuwerfen, du würdest sündigen.

Natürlich ist es toll, wenn wir Christen so begeistert von Jesus sind, dass wir automatisch davon reden. Wer begeistert von einer bestimmten Fernsehsendung oder einer Fußballmannschaft ist, redet ja auch davon, ohne sich zu schämen oder zu denken: „Oh, ich muss jetzt begeistert von meiner Fernsehsendung reden." (Es wäre ja schon mal interessant zu überlegen, warum man gern über seine Hobbys redet, aber nicht über seinen Glauben.)

Die Frage, die du dir stellst, haben viele andere Kinder auch. Denn viele Kinder in deinem Alter sind stille Persönlichkeiten und reden nicht gleich drauflos. Und die fragen sich auch: „Wie kann ich anderen von Jesus erzählen?"

Einige haben christliche Aufkleber, die auf Gott hinweisen. Andere trauen sich, bei einer Buchbesprechung im Unterricht ein christliches Buch vorzustellen. Wieder andere laden ihre Mitschüler zur Jungschar oder zum Kindergottesdienst ein. Dann gibt es welche, die sich melden und ihre Meinung zur Bibel sagen, wenn im Reli-Unterricht die Frage nach Gott auftaucht (oder in welchem Schulfach auch immer).

Einige Kinder bieten Mitschülern an, die gerade ein Problem haben: „Wenn du willst, kann ich für dich beten." Manche haben sich selbst Zettel oder Schilder mit christlichen Sprüchen geschrieben und zum Beispiel an die Zimmertür gehängt. Und so gibt es ganz viele Ideen, wie man zumindest zeigen kann, dass man Christ ist und sich nicht für Jesus schämt, ohne dass man gleich ein Prediger sein muss.

Wenn du direkt auf Gott angesprochen wirst, würdest du doch bestimmt ehrlich antworten, oder?

Du siehst: Als „stille Persönlichkeit" muss man nicht zu einem anderen Typ werden. Man muss sich auch nicht dauernd Druck machen: „Oh Hilfe, ich muss von Jesus reden!" Trotzdem kann man zu seinem Glauben stehen.

Emma, 12

Ich spüre keine Liebe zu Gott! Wie kann ich diese Liebe finden?

Liebe Emma,

darf ich dich mal etwas zurückfragen: Was denkst du denn, wie es aussehen würde oder wie es sich anfühlen würde, wenn du Liebe zu Gott hättest? Liebe zu Gott ist etwas anderes als Liebe zu deinen Eltern oder zu deiner Freundin. Das sind alles Menschen, die man kennenlernt, zu denen man sich hingezogen fühlt und für die man ein Gefühl von Liebe empfindet. Dieses Gefühl stellt sich Gott gegenüber nicht ein.

Wenn Jesus sagt: „Du sollst Gott lieben von ganzem Herzen, mit ganzem Willen, mit ganzem Verstand und mit aller Kraft" (Markus 12,30), dann scheint es doch so zu sein, dass man sich das vornehmen kann. Bei Liebe, wie wir sie normalerweise verstehen, kann man das nicht. Niemand kann zu dir sagen: „Du sollst den Jungen aus der Nachbarklasse lieben." Entweder man liebt jemanden oder nicht. Das kann man nicht „machen". Wenn Jesus uns auffordert, unsere Mitmenschen (auch den Jungen aus der Nachbarklasse) zu lieben, meint er damit nicht, dass man in jeden verknallt sein soll. *In diesem Fall heißt „lieben" so viel wie: gut behandeln, freundlich sein, respektvoll mit ihm umgehen.* Und das kann man sich sehr wohl vornehmen.

Wenn Jesus uns nun aufträgt, Gott zu lieben – wie können wir das tun? Wie kann man diese Liebe „finden"? Einmal hat Jesus zu seinen Jüngern gesagt: „Wer meine Gebote annimmt und sie befolgt, der liebt mich wirklich" (Johannes 14,21). Später schreibt Johannes in einem Brief: „Das ist die Liebe zu Gott, dass wir seine Gebote halten" (1. Johannes 5,3). Und wie sieht das aus? Wenn du dich mit Gott beschäftigst, wenn du in der Bibel liest, wenn du im Gebet mit ihm sprichst, wenn du tagsüber versuchst, dich an das zu halten, was du in der Bibel gelesen hast, wenn du dich zwischendurch an einen Bibelvers erinnerst, wenn du dir vielleicht etwas über Gott notierst und so weiter – also *wenn du immer mal wieder an Gott denkst und dich ganz viel mit ihm beschäftigst, dann ist das Liebe zu Gott.*

Wie liebt Gott dich denn? Er schenkt dir all das, was du hast. Er hat dir seinen Sohn Jesus geschickt, der für dich gestorben ist. Gott sehnt sich nach Gemeinschaft zu dir. Das ist seine Liebe für dich.

Und wie kannst du Gott deine Liebe zeigen?

Indem du Zeit mit ihm verbringst, indem du anderen Leuten etwas Gutes tust (denn was du anderen getan hast, hast du auch Jesus getan), indem du was Nettes für Gott malst oder schreibst oder dichtest – überleg dir selbst mal, was dir einfällt, um Gott zu zeigen, dass du ihn liebst.

Und wenn dir gar nichts einfällt, ist das auch nicht tragisch. Denk dran: Du bist ein Kind und bist gerade erst dabei, den Glauben zu entdecken und einzuüben. Du musst keinen perfekten Glauben haben. Du darfst so, wie du bist, zu Gott kommen. Wenn du weiter darunter leidest, dass du keine Liebe zu Gott spürst, dann bitte Gott doch immer wieder darum, dass er dir diese Liebe zu ihm schenkt.

Übrigens: Wenn es dich stört, dass du nicht so eine Liebe für Gott empfindest, wie du sie gern hättest, dann ist das doch ein Zeichen dafür, dass du Gott lieb hast. Oder? Klingt kompliziert. Aber ich meine: Wenn dir Gott egal wäre, dann wäre es ja für dich nicht schlimm, dass du keine Liebe zu ihm findest. Du möchtest aber gern ganz viel Liebe zu Gott haben! Und allein dieser Wunsch zeigt, dass du Gott lieb hast. So würde ich das sehen.

Für dich als Kind ist es erst mal ganz wichtig zu wissen: Gott liebt dich. Egal, was du machst, wie du dich fühlst oder wie es dir geht. Gott hat dich lieb bis zum Mond und wieder zurück. Und das ist großartig.

Ich wünsche dir von Herzen alles Gute*
und grüße dich herzlich

dein

Harry

Nick, 12

Ich weiß nicht, ob ich an Gott glauben kann, obwohl ich weiß, dass es ihn gibt! Hast du Tipps?

Lieber Nick,

dass du schon mal weißt, dass es Gott gibt, ist eine super Grundlage. Jetzt möchtest du an ihn glauben, weißt aber nicht, wie. Das kann ich gut verstehen.

Glauben heißt ja vertrauen. Wie aber sollst du jemandem vertrauen, den du gar nicht kennst? Ich vertraue auch nicht jedem, von dem ich weiß, dass es ihn gibt. Zuerst muss ich ihn kennenlernen, mich mit ihm beschäftigen und gute Erfahrungen mit ihm machen. Und dann weiß ich, ob ich ihm vertrauen kann oder nicht.

Wie wäre es, wenn du einfach anfängst, dich mehr mit Gott zu beschäftigen? Wenn du in der Bibel liest, erfährst du mehr über Gott. Fang im Neuen Testament an (das ist der hintere Teil der Bibel). In den Büchern Matthäus, Markus, Lukas und Johannes wird von Jesus berichtet. Jesus hat uns gezeigt, wie Gott ist. Je mehr du davon liest und dich mit anderen darüber unterhältst, umso mehr siehst du, wie gut Gott ist und wie gut er es mit dir meint.

Wer sich kennenlernen will, der redet miteinander. Du kannst auch mit Gott reden. Kann sein, dass dir das am Anfang noch komisch vorkommt, weil du niemanden siehst, während du sprichst. Aber je öfter du im Gebet mit Gott redest, umso mehr wirst du merken, dass dir jemand zuhört, dass du nicht allein bist. Dazu musst du nicht in eine Kirche gehen. Beten kannst du auch in deinem Zimmer, in deinem Bett, draußen – wo auch immer du bist.

Hast du die Möglichkeit, in eine Gemeinde zu gehen? In einen Kindergottesdienst oder etwas Ähnliches? Da kannst du andere nach ihrem Glauben an Gott fragen. Du kannst mit ihnen zusammen beten und von ihnen lernen, wie man den Glauben lebt. Auch das kann dich weiterbringen.

Es gibt auch christliche Kinderbücher, die davon handeln, wie andere Kinder Gott erlebt haben. Und in Zeitschriften wie „KLÄX" oder „Teensmag" geht es darum, wie Glaube im Alltag aussehen kann. So etwas zu lesen, kann dir helfen, an Gott zu glauben.

Das wären ein paar Tipps, die dir weiterhelfen können, Gott kennenzulernen und ihm näherzukommen. Meinst du, das reicht dir fürs Erste?

Ich selbst hab es auch so gemacht. Als Kind hab ich die Geschichten von Gott gehört. Mit elf oder zwölf Jahren hab ich begonnen in der Bibel zu lesen. Seit dieser Zeit bete ich auch mit eigenen Worten zu Gott. Und so hab ich angefangen, an Gott zu glauben.

*Ich wünsche dir ganz viel Spaß dabei,
Gott kennenzulernen und zu entdecken, wie gut Gott ist!
Dein Harry*

Jana, 11

Ich würde gerne wissen, ob es schlimm ist, wenn ich manchmal keine richtige Lust habe, in der Bibel zu lesen. Wie kann ich mich bessern?

Liebe Jana,

grundsätzlich gilt: Bibellesen soll dir Freude machen und etwas bringen. Du lernst ja dadurch Gott immer besser kennen. Bibellesen ist also eine Sache, die für *dich* da ist. Wenn du mal keine richtige Lust dazu hast, ist das zwar schade, aber keine Enttäuschung für Gott. Du liest ja nicht in der Bibel, um Gott einen Gefallen zu tun, sondern um dir selbst einen Gefallen zu tun.

Tägliches Bibellesen finde ich sinnvoll. Aber es darf nicht zum Zwang werden.

Schade fände ich es, wenn du plötzlich nie mehr Lust hättest, in der Bibel zu lesen und mit Gott in Kontakt zu bleiben. Denn in jeder Freundschaft will man in Kontakt miteinander bleiben. Und Bibellesen ist so, wie einen Brief von einer guten Freundin zu lesen.

Mach dir also keinen Stress, wenn du mal keine Lust zum Bibellesen hast. Wenn du willst, überlege dir, ob es vielleicht bestimmte Zeiten gibt, an denen du mehr Lust dazu hast. Zum Beispiel am Wochenende oder vor dem Schlafen oder wann auch immer.

„Wie kann ich mich bessern?", hast du gefragt. Vielleicht, indem du mehr mit Jesus darüber redest, was er dir bedeutet oder was dich bewegt und bedrückt. Ich kann mir vorstellen, dass nach einer Weile wieder dein Wunsch wächst, eine Antwort von Gott zu erhalten, nachdem du so viel von dir erzählt hast. Und die Antwort findest du in erster Linie in der Bibel.

Es gibt auch Zeitschriften, die dir vielleicht Lust aufs Bibellesen machen und die dir hier und da Zusammenhänge erklären oder mit dir überlegen, was der gelesene Bibeltext mit dir und deinem Alltag zu tun haben könnte. „Guter Start" ist eine Bibellese-Zeitschrift mit

Rätseln, Comics und Beispielgeschichten. Damit macht Kindern das Bibelent-
decken Spaß. Für Teenager gibt es „pur".
Hier werden dir Fragen zum Bibeltext gestellt, die dich persönlich herausfordern.
Wenn du willst, lass dir von deinen Eltern
ein Heft zur Probe bestellen.

Letztlich bleibt es dabei: Gott ist dir nicht böse,
wenn du mal nicht liest. Nur aus schlechtem Gewissen
zu lesen, macht die Sache nicht besser. Also fühl dich
frei und freu dich, dass Gott dich bedingungslos liebt.

*Viele gute Gedanken bei der weiteren Pflege
deiner Beziehung zu Jesus wünscht dir* dein
Harry

Fabian, 11 Jahre

**Ich lese jeden Tag in der Bibel, aber ich verstehe vieles davon
nicht oder finde es langweilig. Wie kann die Bibel spannender für
mich werden?**

Lieber Fabian,

toll, dass du jeden Tag in der Bibel liest. Damit hast du anderen Kindern etwas voraus, die zwar auch als Christen leben wollen, aber
nicht so regelmäßig in der Bibel lesen.

Mich würde ja noch interessieren, nach welchem Plan du in der
Bibel liest. Hast du ein Heft oder ein Buch, das dir jeden Tag eine Bibelstelle vorschlägt? „Guter Start" ist zum Beispiel eine Zeitschrift, die
dir jeden Tag eine Stelle vorgibt, die du in deiner eigenen Bibel lesen

kannst. Und dann ist in „Guter Start" mit Rätseln, Comics und Beispiel-geschichten der Bibeltext erklärt, damit du weißt, was er bedeutet und was er mit deinem eigenen Leben zu tun hat.

Manchmal hilft es auch, wenn man sich ein eigenes Heft anlegt, in das man sich seinen wichtigsten Bibelvers notiert oder einen guten Gedanken, den man beim Bibellesen hatte. Mit der Zeit wird das Heft zu einer Art Schatzkiste, die immer wertvoller wird.

Wenn du willst, teste doch mal verschiedene Möglichkeiten, dir selbst Gedanken zum Bibeltext zu machen. Schreibe dir vor dem Bi-bellesen auf, was dich gerade beschäftigt. Notiere dir hinterher: Was von dem, was du gelesen hast, passt zu dem, was du vorher aufge-schrieben hast? Oder du denkst einfach über den Bibeltext nach: Was will Gott dir vielleicht sagen? Was freut dich, was ist neu für dich? Wo hat Gott dir etwas Neues, Gutes deutlich gemacht? Wo sollst du etwas lernen, dich verändern und so weiter? Das alles können Fragen sein, die dir wieder neu beim Bibellesen helfen können. Oder du schreibst so eine Art Gebetstagebuch, in das du eintragen kannst, was du mit Gott besprechen willst.

Was das Bibellesen auch spannender macht, ist, wenn man es ge-meinsam tut. Hast du Freunde, die auch in der Bibel lesen wollen? Trefft euch doch ein- oder zweimal in der Woche und lest zusammen in der Bibel. Durch das Gespräch versteht man gleich doppelt so viel. Vielleicht hilft euch sogar ein Erwachsener und ihr könnt dann mit demjenigen gemeinsam auf Entdeckungsreise durch die Bibel gehen.

Die nächste Frage ist: Wo fängst du denn beim Bibellesen an? Wenn du längere Zeit immer nur Stellen aus dem Alten Testament liest, kann dir das sehr schwer vorkommen. Wechsel doch zwischen Altem Tes-tament und Neuem Testament ab. Die Bibel wurde in erster Linie für Erwachsene geschrieben, darum sind die meisten Texte für Kinder sehr schwierig. Die Bücher Matthäus, Markus, Lukas, Johannes und Apostelgeschichte im Neuen Testament sind für Kinder am besten zu verstehen. Im Alten Testament sind es die Bücher 1. Mose, 2. Mose, Josua, Ruth, Esther, 1. Samuel, 2. Samuel, 1. Könige, Jona, Daniel. Aber auch die anderen Bücher können Kinder verstehen, wenn sie eine gute Anleitung haben. „Guter Start" könnte so eine Anleitung sein.

Übrigens gibt es seit einiger Zeit die „Einsteigerbibel", in der eine Auswahl an Büchern aus dem Alten und Neuen Testament zusammengestellt ist, die für Kinder verständlich sind. Obendrein ist die Übersetzung so gewählt, dass man sie gut und leicht lesen kann. Bilder und Erklärungen am Rand helfen, schwierige Begriffe und Hintergründe zu verstehen. Wenn du willst, frag deine Eltern, ob sie dir eine solche Bibelausgabe besorgen wollen. Auch das kann helfen, wieder mehr Spaß beim Bibellesen zu haben.

Jedenfalls wünsche ich dir weiterhin viel Freude am Bibellesen! Ich wünsche dir, dass du die Bibel immer besser verstehst und Gott dadurch immer besser kennenlernst.

Dein
Harry

Leonie, 11

Die Schwester meiner Freundin hat Krebs und meine Freundin ist sehr traurig. Ich weiß nicht, wie ich sie trösten soll! Kannst du mir helfen?

Liebe Leonie,

dass du dich ratlos fühlst, kann ich gut verstehen. Und dass du mit deiner Freundin leidest und sie gern trösten möchtest, find ich klasse.

Du sagst, du weißt nicht, wie du sie trösten sollst. Ich glaube, das weiß im Moment niemand. Auch nicht ihre Eltern. Keiner. Dass du dir eingestehst, dass du das nicht weißt, zeigt, dass du ehrlicher bist als viele andere, die vielleicht mit Sprüchen wie „Kopf hoch" oder „Das wird schon wieder" oder sogar „Gott hat sicher etwas Gutes vor"

kommen. Und die helfen niemandem weiter. Weder deiner Freundin noch ihrer Schwester.

Wenn du Zeit hast, lies dir doch mal in der Bibel das Buch Hiob (in der Guten Nachricht Bibel: „Ijob") durch. Da geht es um einen Mann, der urplötzlich ganz, ganz krank ist. Ihm geht es schlecht. Dann besuchen ihn seine Freunde. Zuerst sind sie erschrocken, als sie sehen, wie krank Hiob ist und wie schlecht er aussieht. Und dann setzen sie sich zu ihm und reden eine Woche lang nicht. Sie sitzen einfach nur da und schweigen. Sie haben Zeit für Hiob, halten das Schwere aus, ohne dumme Ratschläge zu geben. Ich finde, das ist das Beste, was man für Leute tun kann, mit denen man leidet.

Ich glaube, deiner Freundin hilft es schon weiter, wenn du einfach bei ihr bist. Wenn sie sieht, dass du ihr zur Seite stehst, auch wenn dir keine tröstlichen Worte einfallen. Die Nähe einer Freundin tröstet. Wenn du willst, kannst du ihr das auch sagen: „Ich weiß gar nicht, wie ich dich trösten soll. Aber ich bin bei dir." Oder so. Vielleicht kannst du sie zwischendurch auch mal fragen: „Gibt es etwas, das ich für dich tun kann?" Wahrscheinlich wird sie dann den Kopf schütteln und Nein sagen. Damit meint sie aber nicht, dass du gehen sollst. Sie meint damit, dass es nichts gibt, was ihre traurige Situation verbessern kann. Außer dass ihre Freundin bei ihr ist.

Die Freunde von Hiob haben, nachdem sie eine Woche lang geschwiegen haben, altkluge Reden gehalten und versucht, Hiob zu erklären, woher sein Leid kommt. Aber das hat Hiob überhaupt nicht weitergeholfen. Am Ende des Buches sagt Gott sogar über die Freunde: „Sie hatten unrecht." Und Hiob muss für sie um Vergebung bitten.

Natürlich kannst du ganz viel für deine Freundin und ihre Schwester beten. Du kannst ihr auch anbieten, mit ihr zusammen zu beten oder an ihrer Stelle, wenn sie es selbst nicht kann. Letztlich kann nur Gott wirklichen Trost schenken. Das können wir nicht „machen" und auch nicht einfach so „verschenken". Aber du kannst Gott bitten, dass er sie tröstet.

Es gibt einige Psalmen in der Bibel, in denen die Beter laut zu Gott geschrien haben: „Gott, warum tust du mir das an?" Wenn du willst, kannst du diese Psalmen mit deiner Freundin zusammen lesen oder beten (z.B. Psalm 6, Psalm 10, Psalm 13, Psalm 22). Viele Beter sind dadurch, dass sie ihre Not zu Gott gebracht haben, schon getröstet worden.

Vielleicht bist du jetzt enttäuscht, weil ich dir keinen Satz sagen kann, der deine Freundin wirklich tröstet. Aber das ist einfach so bei schlimmen Dingen, die wir erleben. Gerade im Leid und beim Sterben ist es der beste Trost, wenn ein Freund oder eine Freundin bei einem ist. Auch ohne viel zu reden. Und das kannst du tun. Vielleicht findet es deine Freundin auch schön, wenn ihr einfach miteinander spielt, so wie immer. Das kann sie auch ein bisschen ablenken. Vielleicht redet sie dann von allein über ihr Leid und ihre Angst. Dann kannst du ihr zuhören und sagen: „Ja, das ist schlimm", oder: „Das verstehe ich", oder: „Darauf weiß ich auch keine Antwort. Aber danke, dass du es mir gesagt hast."

All das sind Zeichen für deine Freundin, die ihr helfen. Du denkst vielleicht, das reicht nicht. Aber es reicht. Damit kannst du schon ganz viel tun.

Ich wünsche dir nun ganz viel Kraft für deine Freundin und jede Menge Geduld, auch wenn sie viel weint. Bleib einfach weiter ihre Freundin, bete für sie und halte zu ihr.

Dein

Henry, 10 Jahre

Was bedeutet Konfession?

Lieber Henry,

das Wort Konfession heißt auf Deutsch: *Bekenntnis.* Gemeint ist damit, zu welcher Kirche oder Gemeinde ein Christ gehört.

Die großen christlichen Kirchen sind die evangelische und die katholische Kirche. Dann gibt es auch noch Freikirchen, also christliche Gemeinschaften, die einer der großen Kirchen nahestehen, aber nicht direkt dazugehören. Wenn dich also jemand fragt, welcher Konfession du angehörst, will er wissen, ob du evangelisch oder katholisch bist.

Wenn du noch genauer Auskunft geben willst, kannst du auch die Gemeindezugehörigkeit angeben (zum Beispiel: „Freie evangelische Gemeinde" oder „Evangelisch-Freikirchliche Gemeinde" oder „Evangelische Landeskirche").

Leute, die zu gar keiner Kirche oder Freikirche gehören, antworten, sie seien „ohne Konfession" oder „konfessionslos".

Für Christen, die Jesus nachfolgen wollen, ist es aber eigentlich egal, zu welcher Konfession jemand gehört. Denn Jesus sieht uns ja als Geschwister an und hat alle gleich gern. Also sollten wir Christen das auch können.

Viele Grüße   dein
Harry

EINFACH SELBER BIBEL LESEN

Gemeinsam mit Kindern entwickelt!

DIE BIBEL Übersetzung für Kinder

EINSTEIGERBIBEL

**Die Bibel –
Übersetzung für Kinder,
Einsteigerbibel**
Geb., 432 S.
€ 19,99
€A 20,60/CHF 30.80*

Spannung, Abenteuer und christliche Botschaft

Die Einsteigerbibel bietet alle wichtigen biblischen Texte in einer einzigartigen Fassung für Kinder. Bibelgeschichten werden hier nicht nacherzählt, sondern Wort für Wort nach kindgemäßen Vorgaben übersetzt. Dadurch ist der Text leicht lesbar, gut verständlich und trotzdem eine echte Bibelübersetzung.